スタンフォード式
最高の睡眠

The Stanford Method for Ultimate Sound Sleep

スタンフォード大学医学部教授
スタンフォード大学睡眠生体リズム研究所所長
西野精治
Nishino Seiji

サンマーク出版

プロローグ　「ぐっすり」を追求した究極のスタンフォード・メソッド

最高の睡眠を確保し、日中のパフォーマンスを最大化する。
スタンフォード大学で30年近く睡眠を研究して得た知見を軸に、**「あなたの睡眠を、あなた史上最高にする」**方法をお伝えするのが本書のねらいだ。

たとえば、「睡眠時間」。よく、「ノンレム睡眠とレム睡眠の周期は90分。なので90の倍数分眠ればいい」といわれているが、実は必ずしも「90分周期」とは限らない。なので**「90分の倍数」寝ても、目覚めが悪いケースはいくらでもある**。

このような「睡眠の俗説」についても、最新の科学的検証を通して、正しい知識とメソッドを本書では提供していく。

「世界一の睡眠研究所」と称されるスタンフォード大学睡眠研究所、そして睡眠生体リズム研究所（Sleep and Circadian Neurobiology Lab：以下ＳＣＮラボ）で蓄積したエビデンスをもとに、より良く眠り、より生産的に日中を過ごす**「スタンフォード式　最高の睡眠」**について、これから述べていきたいと思う。

世界一の睡眠研究所はスタンフォードにある

今、全米の睡眠クリニックの数は、２０００とも３０００ともいわれている。睡眠について関心が高く、多くの人が悩みを抱えている証拠だろう。不眠症とまでいかずとも、眠りについて「満足です」と言う人は少ない。忙しいビジネスパーソンなら誰しも、何らかの「睡眠トラブル」を抱えているのではないだろうか。

だが、眠りは決して現代だけの問題ではない。睡眠障害の歴史は古いものだ。たとえば、私の専門であるナルコレプシー（突然眠りに落ちてしまう病気）は一番典型的な過眠症だが、１４０年前のフランスの文献にすでに記載がある。

また、日本の睡眠障害についての記録ははるかに古く、平安時代の文献がある。

『病草紙《やまいのそうし》』という21の病気が記載された絵巻物で、そこには「不眠症の女」と、やたらに眠りすぎる「嗜眠癖《しみんへき》の男」が登場するのだ。

一方、睡眠医学の歴史はまだ新しい。「睡眠？ ただの休息だろう」という位置づけで、長い間、研究者もほとんどいなかった。

転機となるのは1953年、レム睡眠の発見だった。

「脳は起きていて体は寝ている」このレム睡眠という不思議な状態に、可能性を感じたのだろうか。アメリカの大学のなかで、**いち早く睡眠医学に注目したのがスタンフォード**である。

レム睡眠発見者の一人であり、私の師でもあるウィリアム・C・デメント教授などの優秀な人材が集められ、1963年に世界初の本格的な睡眠研究機関**「スタンフォード睡眠研究所」**が設立された。クリニックも併設された画期的なものだった。

1972年にデメント教授とクリスチャン・ギルミノー教授は、世界で初めて、睡眠障害の系統だった講義をおこなった。

1989年、初めて睡眠医学の教科書を作ったのもスタンフォード。私も1チャプター執筆している。現在も使われているが、新たな知見を得るたびに改定されて第6版となり、今や15センチもの厚みになっている。

デメント教授は1975年に睡眠学会を立ち上げ、学会誌『Sleep』を刊行するなど、大学の枠を超え、世界の睡眠研究において中心的な役割を果たしてきた。

1990年にはアメリカ議会の要請を受けて、睡眠障害の実態を調査。睡眠障害はさまざまな病気につながり、産業事故を含めて**700億ドルもの損失**になるという試算を出した。これが睡眠の重要性と、睡眠障害の危険を広く知らしめることになり、アメリカ国立睡眠研究所の設立につながったのである。

かようにスタンフォードは、睡眠医学の発達に大きく貢献してきた。

その後、睡眠医学の研究は多様化してきている。

今ではハーバード大学の睡眠プログラムもすばらしいし、ウィスコンシン大学の睡眠医学・睡眠研究所も、ピッツバーグ大学の不眠症研究も目を見張るものがある。また、基礎研究では、フランスのリヨン大学やカリフォルニア大学ロサンゼルス校の貢献も大きい。

だが、身びいきを差し引いて、いまだに**睡眠研究の総本山がスタンフォード**というのは事実だ。

なぜなら、ハーバードをはじめ、**今、世界で活躍する睡眠研究者のほとんどは、短期でも長期でもスタンフォードに籍を置いた経験がある**からだ。

「世界の睡眠研究は、スタンフォードから始まった」

こう述べても、決して過言ではない。

「たくさん寝る」はベストな眠りか

スタンフォードと睡眠医学について説明したところで、ひとつ質問をしたい。

「最高の睡眠」とは、具体的にはどういう眠りを指すのだろうか？

量よりも質が大切——。食事でも、モノでも、仕事でも、**「量より質」**という認識は、もはやグローバルスタンダードといえるだろう。

・**大盛りや食べ放題よりも、味が良く、体にいいものを、少なめに食べたい。**
・**たくさんのモノを持つより、質のいいものを厳選してシンプルに暮らしたい。**
・**果てしなく残業し、休日返上で働くよりも、短時間、集中して効率良く働きたい。**

私たちにとってはどれも当たり前すぎるほど当たり前のことだが、なぜか睡眠については、いまだ「当たり前」ではないようだ。

つまり、「日中眠たい」「頭がぼーっとする」「朝起きるのがつらい」といった睡眠ストレスを抱えている人の多くは、「もっと眠らなければ」と、量の確保を意識してしまうのだ。

しかし、**忙しい日常を送る現代人にとって、「今以上」の量の確保は現実的とはいえない。**

毎晩日付が変わる前にベッドに入り、朝も自然に目が覚めるまで夢の中、そんなことが許される人はそうそういない。仕事、家事、育児、趣味など、大量にある「やるべきこと」と「やりたいこと」のはざまで、ただでさえ時間が足りないのに、睡眠時間だけたっぷりとるというのは無理な話だ。

「忙しければ睡眠を削る」というのは、悲しいことだが、やむをえないのではないだろうか。

また、仮に時間がありあまるほどあって、ベッドで好きなだけ過ごせるとしても、「眠れない」「寝ても疲れがとれない」など睡眠にまつわる問題がたくさん出てくる。

さらに、**睡眠時間が長すぎるとかえって体に悪い**というエビデンスも出てきている。

結論からいってしまおう。

睡眠にまつわる悩みもストレスも、「量の確保」では解決しない。

たくさん眠ったところで、最高の睡眠は得られないのだ。

「最強の覚醒」をつくる睡眠、「最高の睡眠」をつくる覚醒

「最高の睡眠＝量ではない」

「眠りについての悩み＝量では解決しない」

それでは改めて、最高の睡眠とは何だろう？

答えは、**「脳・体・精神」を最高のコンディションに整える、「究極的に質が高まった睡眠」**となる。

睡眠と覚醒（パフォーマンス）はセットになっている。

脳・精神・体のコンディションを整える質の良い睡眠をとれば、仕事でも勉強でもパフォーマンスの高い一日が送れるし、単に量を求めてだらだら眠ったら、調子が崩れてしまう。

また、日中調子が良く、成果を出すような活動をすれば、その分脳も心も体もハードに使うため、一日を終えたら効果的なメンテナンスとなる睡眠が必要だ。

眠っている間に、私たちの脳や体では、さまざまな営みがおこなわれている。朝、

起きたときにベストな状態になるよう、**睡眠中の脳と体の中では、自律神経や脳内化学物質、そしてホルモンが休みなく働いている**のだ。

眠っている間の脳と体の働きをベストなものにして「睡眠の質」を徹底的に高め、最強の覚醒《かくせい》をつくり出す。

これこそが、本書でいう「最高の睡眠」である。

スタンフォードで見つけた「睡眠の法則」

「睡眠の質」は「覚醒の質」に直結する。

スタンフォードの学生や研究者、ビジネスパーソン、私がアドバイザーとして協力しているプロアスリートを見ても、成果を出す人はみな、睡眠の質を大切にしている。

では実際のところ、どうすれば質のいい睡眠がとれるのだろうか？

その鍵《かぎ》が、本書でお伝えする**「90分の黄金法則」**だ。

レム・ノンレムの周期にかかわらず、**睡眠の質は、眠り始めの90分で決まる。**

「最初の90分」さえ質が良ければ、残りの睡眠も比例して良質になるのだ。

逆に最初の睡眠でつまずいてしまうと、どれだけ長く寝ても自律神経は乱れ、日中の活動を支えるホルモンの分泌にも狂いが生じる。

どんなに忙しくて時間がなくても、**「最初の90分」をしっかり深く眠ることができれば、最高の睡眠がとれる**といっていい。

私は1987年に渡米し、スタンフォード睡眠研究所に所属した。そして2005年にその主たる基礎研究機関であるSCNラボの所長に就任して以来、睡眠に関する疑問を解くため、方法にとらわれずにあらゆることを日夜研究してきた。

患者を対象とした臨床実験、睡眠障害のメカニズムを解明し、新しい薬剤を開発するための動物実験、ボランティア被験者の協力を得た睡眠生理の実験、新たな睡眠計測装置の開発……など、「睡眠の謎《なぞ》」を解明するためにさまざまなことに取り組んできた。

「睡眠の謎を解き明かして社会に還元する」を大指針に、今日まで「眠り」ととことん向き合ってきたつもりだ。

私は睡眠の専門家だが、本書は小難しい専門書ではない。むしろ実用性と即効性を重視し、目を閉じている間のあなたに役立つことを、わかりやすくまとめていくつもりだ。

ただひとつ約束しておきたいのは、根拠なき話は書かないということ。

古典の引用を超え、最新科学で初めてわかったことや、スタンフォードの最先端の知見を、できる限り平易に日本のみなさんにお伝えしたい。

これも、SCNラボ所長であり、日本人である私の役割だと考えている。

眠りが「最強の味方」になる人、「最恐の敵」になる人

これから「眠りを巡る旅」が始まるわけだが、その流れは次のとおり。

本書は「0章」と題した章からスタートする。ここでは睡眠時間と睡眠の質について詳しく掘り下げ、あなたが知らないであろう、眠りに関する新事実を解き明かす。

この新事実は、最高の睡眠を得るうえで欠かせない。

「固定概念を見つめ直し、ゼロベースでもう一度睡眠に向き合う」との思いから、

「0章」とした。

そして1章は、良質な眠りの土台となる**「睡眠基礎知識」**について。眠れる「夢」の不思議についても、この章でご案内したい。

2章では、**「なぜ90分で勝負が分かれるのか」**を、データをひもときながら検証していく。

3章では、いよいよ最高の90分を得るためのメソッドが登場する。キーワードは3つ、**「体温」**と**「脳」**と**「スイッチ」**。

朝起きてから夜寝るまでの行動を少しアレンジして**「眠りの質を高める」習慣術**を書いたのが4章。

最後となる5章で、目先の問題である**「眠気」との賢い闘い方**をお伝えする。

「睡眠とは最強の味方であり、敵に回すと最悪な恐ろしい相手」

これは私が長年にわたる研究を通じて得た実感である。

1日24時間のうち、大きな部分を占める睡眠を味方にできるか敵に回すかで、人生は大きく変わる——膨大な数の「睡眠の悩み」と向き合う中で、幾度となくそう思い知らされてきた。また、研究すればするほど痛感させられる。

仕事を含めた日中のパフォーマンスは、睡眠にかかっている。

夜な夜な訪れる人生の3分の1の時間が、残りの3分の2も決めるのだ。

睡眠と30年以上対峙《たいじ》する中で経験したこと、学んだこと、そして突き止めたことを、エッセンスを取りこぼさぬよう、この一冊に凝縮した。

本書を通じて、睡眠があなたの「最強の味方」になってくれることを、心から強く願っている。

スタンフォード大学医学部精神科教授
SCNラボ所長　西野精治

『スタンフォード式 最高の睡眠』目次

1章 なぜ人は「人生の3分の1」も眠るのか

2章 夜に秘められた「黄金の90分」の法則

4章 超究極！　熟眠をもたらすスタンフォード覚醒戦略

5章 「眠気」を制する者が人生を制す

エピローグ　睡眠研究の最前線「スタンフォード」で見つけたこと

装丁　井上新八
本文デザイン・DTP　ISSHIKI
校閲　増山雅人
編集協力　青木由美子
　　　　　西野智恵子
編集　梅田直希（サンマーク出版）
カバー写真　Rebecca Nelson／ゲッティ イメージズ

0

「よく寝る」だけでパフォーマンスは上がらない

知らぬ間にはまる「眠りの借金地獄」

「眠りの借金」は借りていなくてもたまる

「今日はちょっと寝不足だ」

「最近、睡眠不足でね」

あなたもこうした言葉を交わしたことがあると思う。この場合、「眠りが少し足りないだけで、たいした問題ではない」というニュアンスではないだろうか。


しかし私たち眠りの研究者は、睡眠が足りていない状態を、「睡眠不足」ではなく**「睡眠負債」**という言葉を使って表現する。借金同様、睡眠も不足がたまって返済が滞ると、首が回らなくなり、しまいには脳も体も思うようにならない「眠りの自己破産」を引き起こすからだ。

睡眠をお金として考えてみてほしい。

「1万円、お金が足りない」というとすぐに解決できるし、大問題ではない印象だ。

一方、「負債は1万円」という場合、それはどんどん増えていく印象となる。借金には利子がつくのだから。

つまり、「睡眠負債」とは、**睡眠時間が足りないことによって、簡単には解決しない深刻なマイナス要因が積み重なっていく**という意味を含んでいる。

いってみれば、**気づかないうちにたまる眠りの借金、それが睡眠負債**なのだ。

自覚しないままに脳と体にダメージを与える危険因子が蓄積されていく。とても恐ろしい状態だが、あまりに無頓着《むとんちゃく》な人が多いのが現状だ。

飲酒運転より危険な「脳の居眠り」

アルコールや薬物を摂取した運転が危険なことは、よく知られている。

睡眠負債を抱えた人のパフォーマンスも同じように危険なものだ。法の規制もなく、その危険性を本人が認識していないという点では、**飲酒運転以上に危険**かもしれない。

睡眠負債があると、日中の行動に大きなマイナス影響がある。

一見、普通に起きている人でも、実はすべての機能が正常に働いていない可能性が非常に高いのだ。

睡眠負債については、興味深い実験結果がアメリカの学会誌『Sleep』に発表されている。

内科などの夜勤がある科と、放射線科や内分泌科などの夜勤がない科の医師20名を対象に、翌日の覚醒《かくせい》状況を比較した。

具体的には、タブレットの画面に丸い図形が約90回ランダムに出現する画像を5分間見て、図形が出るたびにボタンを押す、といった作業に取り組んでもらう。誰でもできる簡単な、だからこそ退屈で眠くなる作業だ。

その結果は、驚くべきものだった。

前日に通常どおりの睡眠をとっている放射線科や内分泌科の医師たちは、正確に図形に反応した。

図1　「夜勤明けの医師」はこんなに頭が働かない！

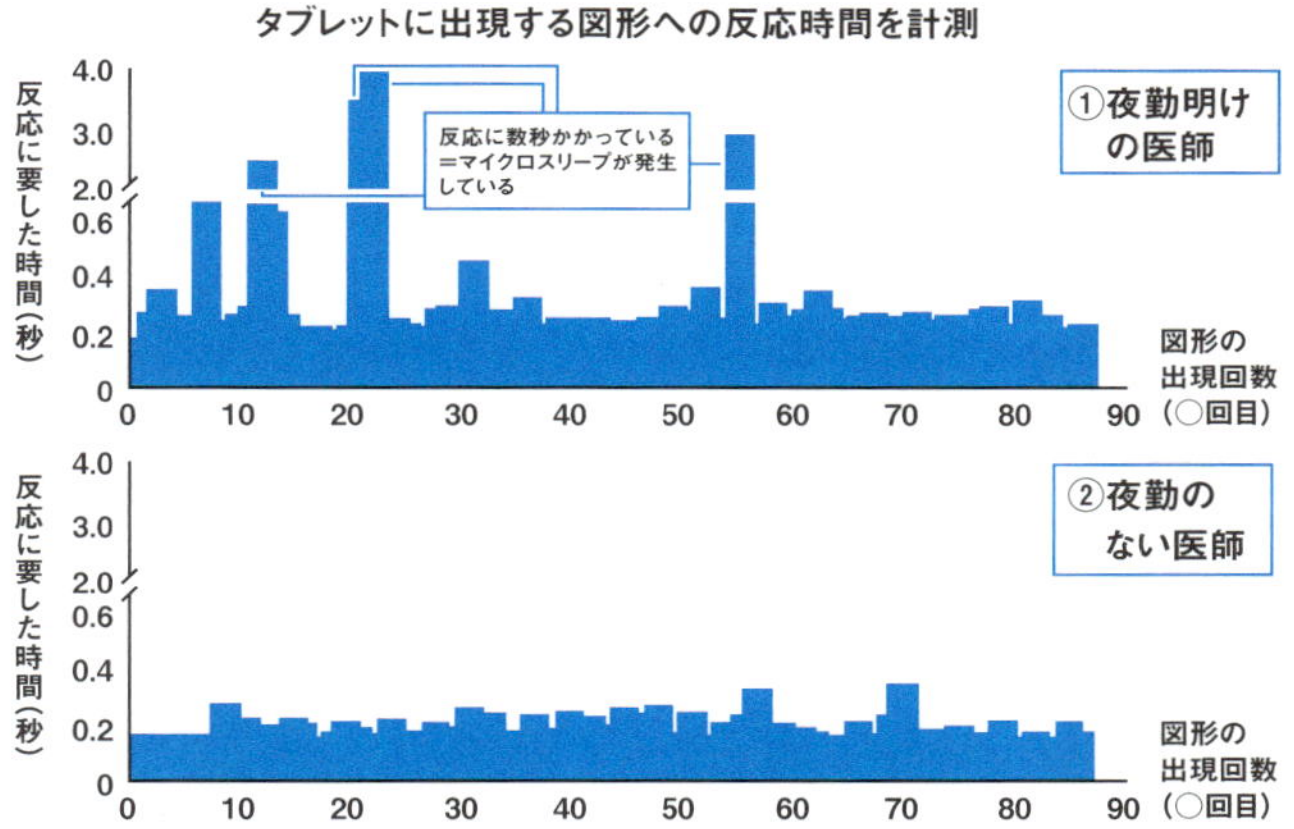

眠れないと、脳が４秒近く反応しないことも

一方、**夜勤明けの内科医は、図形が約90回出現するうち、3、4回も数秒間図形に反応しなかった。**反応しない間、なんと医師たちは眠っていたのである！

さらに恐ろしいのは、夜勤明けのこの医師たちが、勤務時間中だったことだ。

夜勤明けの医師たちが陥ったこのような状態を**マイクロスリープ（瞬間的居眠り）**といい、この状態は脳波で確認できる。マイクロスリープは1秒足らずから10秒程度の眠りを指し、脳を守る防御反応といわれたりもする。

つまり、防御反応が出るくらい**睡眠負債は「脳に悪い」**のである。

睡眠負債によるマイクロスリープの大きな問題は、ほんの数秒であるがゆえに、本人も周囲も気がつかない点にある。

たとえば過眠症のナルコレプシーは、突然、眠ってしまうという発作が起きるが、患者には「こういうときに起きやすい」という自覚症状が多少あるうえ、普段から通院し、注意もしている。

しかし、睡眠負債によるマイクロスリープには予兆もなく、薬を飲むといった対策もとられない。「ただの寝不足だから大丈夫」という認識で押し切ってしまうのだ。

もし、運転中にマイクロスリープが起きたら?
もし、一人で海釣りをしているとき、マイクロスリープが起きたら?
もし、取引先と重要な商談中、マイクロスリープが起きたら?

睡眠負債を抱えている人は、常にこの「もし」が現実になる状況にある。

睡眠に問題を抱える人が、脳波を測定する装置をつけてドライブシミュレーションで運転した実験では、3〜4秒、脳波上に睡眠パターンがはっきりと出た。見た目にはわからないし、本人も自覚はないが、この間完全に眠っていたのだ！

たかが数秒、されど数秒。**仮に時速60キロで運転していて4秒間意識が飛ぶと、70メートル近く車が暴走する。**

私は少しでも眠りが足りていないと感じるときは、絶対にハンドルを握らないと決めている。正確にいえば、怖くて「握れない」のだ。

世界一「睡眠偏差値」が低い国・日本

日本には、睡眠負債を抱える「睡眠不足症候群」の人が外国に比べて多いというデータがある。もちろん睡眠時間には個人差があるが、数千人程度で統計をとると睡眠時間の分布がわかる。なかには、後述するように100万人規模での統計もある。

フランスの平均睡眠時間は8・7時間。
アメリカの平均睡眠時間は7・5時間。
日本の平均睡眠時間は6・5時間。

日本は少ないとはいえ、この平均睡眠時間がとれていればまだいいだろう。しかし**日本人には、睡眠時間が6時間未満の人が約40%もいる**といわれている。**6時間未満というのは、アメリカでは短時間睡眠**とされる数値だ。

さらには、ミシガン大学が２０１６年にインターネットでおこなった調査では、１００国中、日本の睡眠時間は最下位にランクされた。

眠りには個人差があり、日本の首都圏では通勤電車で寝るといった独自の状況もある。もしも「日本人は6時間未満でも十分」なら、それでもかまわないだろう。

しかし、私たちの調査では、６時間未満しか寝ていない日本人も、実は「７・２時間くらい寝たい」と感じている。**この「眠りたい時間」と「実際の睡眠時間の差」も諸外国に比べて大きい**のが実情だ。

ＮＨＫの調査によると、睡眠時間は年々短くなっており、深夜まで覚醒している人も珍しくない。１９６０年代には60％以上の人が夜10時までに寝ていたが、２０００年ごろから20％台へと下がっている。

図2 東京の睡眠偏差値は最低!

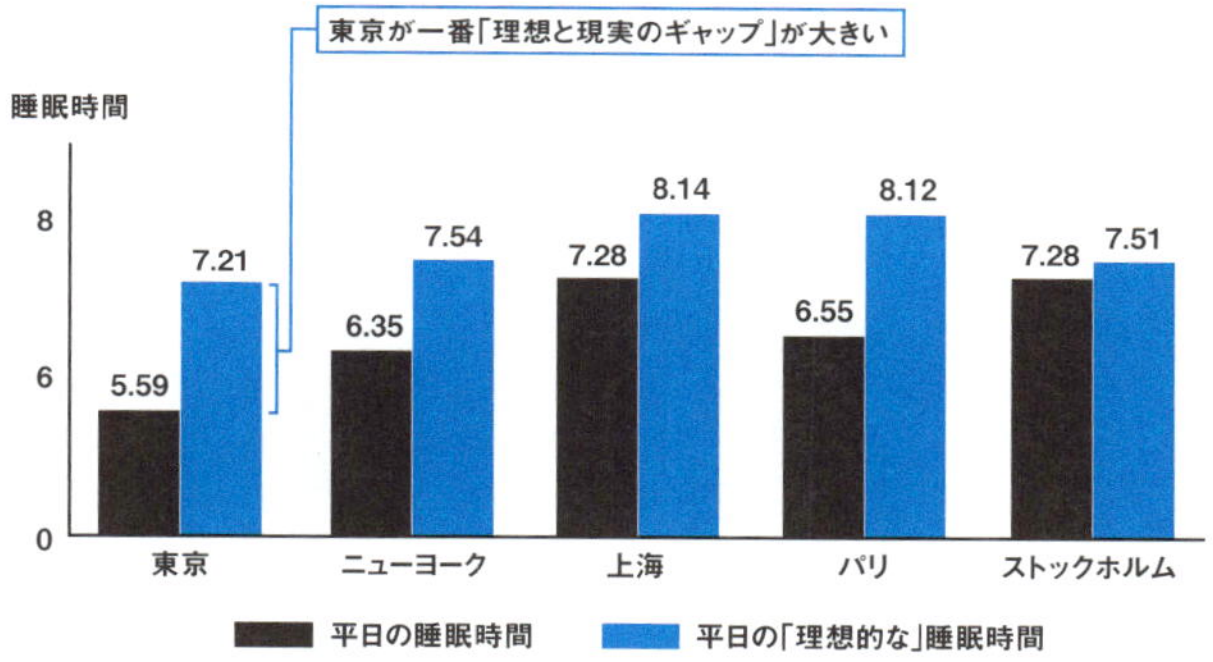

たくさんの日本人にとって「寝たいけど時間がない」のが現実

また、東京の平日の平均睡眠時間は5・59時間。世界の都市と比べて断トツで少ない。**日本では、都会に住む人ほど眠れていない**のだ。

私はスタンフォード大学に隣接する、のんびりしたパロアルト市の自宅から東京に来るたび、あまりの明るさに驚いてしまう。コンビニエンスストアや飲食店など24時間営業の店には深夜でも人が多く、オフィス街のビルの明かりはなかなか消えない。

「眠らない街」は、「眠れない人」をたくさんつくり出しているかのようだ。

「理想の睡眠時間」は遺伝子で決まる

2か月眠らない動物がいた！

睡眠負債がたまるとマイクロスリープが発生する危険が増すが、それでは「眠りをなくす」とどうなるのだろう。

期間限定だが、眠らない動物もいる。

たとえばエンペラーペンギンは、ヒナが孵化《ふか》するまでの1～2か月、ほとんど眠らない。

多くのペンギンは足の間で卵を温める習性があるが、エンペラーペンギンが生息しているのはマイナス60℃の南極。卵を外気にさらしたらアウトなのに、なぜか巣を持たない。

卵を抱いている間、彼らは雪を多少食べるだけでほとんど動かず、立ちっぱなし。

猛吹雪の中、食べない、眠らない、動かない。これは並大抵のことではない。

ちなみにこれは、オスのエンペラーペンギンだけ。エンペラーペンギンのメスは卵を産むとすぐにオスに預け、自分はエサを探しに海に出る。同じペンギンでもアデリーペンギンは夏場に巣を作り、卵は夫婦が交代で温める。キングペンギン、ケープペンギンも夫婦で卵を温める。

エンペラーペンギンの「眠らない」は、「起きているが眠っているような状態」に近いとされている。エネルギー消費を極力抑え、自分と卵の生命維持に専念しているのだろう。

また、アフリカにいるバッファローの仲間にも、発情期に何週間も眠らない種がいる。ペンギンにしてもバッファローについても、眠らない時期は年間を通じてではなく、自分の意思でもない。**種としての命のリズムにコントロールされている**のだ。

人は眠らないとどうなる？

人間はどうだろう？　意識的に眠らずにいることはできるのだろうか？

これに関して、デメント教授がかかわった面白い実験記録がある。1965年、「アメリカの男子高校生がギネスの不眠記録に挑戦する」と地元紙が報じ、デメント教授は研究のために観察を申し出たのだ。

実験記録を読むと、教授たちは挑戦中、高校生の眠気が強まるとゆさぶったり話しかけたり、しまいにはバスケットボールをさせたりと、さまざまな「眠らない工夫」をしたようだ。

結果として、数秒のマイクロスリープはあったものの、**男子高校生はなんと11日間も眠らなかった**。それ以前のギネス記録は測定方法が疑わしい部分もあるが、デメント教授は脳波計でも測定していたので、不眠記録として間違いない。

教授による詳細な記録によれば、チャレンジが後半になるほど、高校生はろれつが回りにくくなり、言い間違いも増え、些細《ささい》なことにイライラした。幻聴や被害妄想も多少出ていたとある。眠気が強いときには単純な足し算も間違えていたようだ。

だが、眠気がないときはコンディション上ほぼ問題なく、教授とのバスケットボールでは勝っており、実験終了の翌日は14時間40分眠ったあと、普通に目覚めている。

しかし、これは決して**「人間は11日くらい眠らずにいられる」というエビデンスにはならない**。眠りそうになると水をかけたり痛めつけたりする「断眠」は古くからある拷問の手法だ。ナチスドイツや文化大革命時代の中国でもおこなわれ、拷問を受けた人は幻覚や妄想が出て、精神に異常をきたしたという記録がいくらでもある。

では、なぜアメリカの高校生は眠らずにいられたのだろうか？

体質的なものだと考えられるが、その体質が具体的にどのようなものかは、実はまだ科学的に解明しきれていない。１９５０年代にスタートした新しい学問である睡眠医学には、こうした未知の領域がまだ多いのだ。

ナポレオンの子はナポレオン⁉「ショートスリーパー」は遺伝だった！

日本人の多くが睡眠負債を抱えているわけだが、当然、例外も存在する。経営者、芸能人、政治家など、断眠までいかなくても、短時間睡眠で元気な人はたくさんいる。

スタンフォードにも「寝なくてもぜんぜん平気」という教授がいて、実際に脳波計や活動計をつけてもらって調査したところ、彼は本当に毎日4時間しか寝ていなかった。それでもいたって健康で、研究に何の支障もない。多忙なウイークデーだけかと思えば、週末も同じく4時間睡眠。それが彼のリズムなのだ。

ショートスリーパーについての研究で、何十年も6時間未満睡眠なのに健康なアメリカ人親子を調べたことがある。

彼らの遺伝子のうち、**生体リズム（ヒトの体に備わったリズム）に関係する「時計遺伝子」に変異がある**ことがわかった。そこで、この親子と同じ時計遺伝子をもつマウスをつくって睡眠パターンを観察すると、やはり睡眠時間が短かった。

一般的にはマウスでも人間でも、眠らない状態が続くと睡眠負債が蓄積するため、そのあと非常に深い睡眠が増える。

「徹夜したあとは、叩《たた》かれても起きないくらいぐっすり眠った」という経験が、あなたにもあるだろう。この「短時間睡眠の後やってくる深い眠り」を**「リバウンドス**

リープ」と呼ぶが、時計遺伝子が変異したマウスは、眠らない状態が続いたあとも、深い眠りは増えなかった。「寝なくてもぜんぜん平気なネズミ」である。
遺伝的に変異がある動物は睡眠欲求が弱まり、短時間睡眠にも耐えられる――。
ここから私は**「短時間睡眠は遺伝である」**という結論を出し、２００９年に学術誌『Science』に発表した。

短時間睡眠の話になるとよく登場するのが、かのフランス革命で活躍したナポレオン・ボナパルト。一説によると彼は3時間ほどしか眠らなかったそうだ。

先にあげたエンペラーペンギンといい、「皇帝」という名がつくと、寝不足に強くなるのかもしれない。ただし、偉業を成し遂げたマインドを見習うのはいいが、彼の睡眠スタイルまでまねてしまうと、身も心もボロボロになってしまいかねない。

ナポレオンの子はナポレオン、ショートスリーパーは遺伝なのだ。

「寝だめしたい」は脳からのSOSサイン

あなたの親兄弟はどうだろう？　短時間睡眠で元気な人たちだろうか？

あなた自身、毎日4～5時間の睡眠でも健康に過ごしているだろうか？　頭は冴《さ》えているし、反応も敏捷《びんしょう》だろうか？

もしそうなら、無理にたくさん眠る必要はない。ショートスリーパーの遺伝子をもつ可能性が高いからだ。

だが、短時間睡眠が続くとつらいという人は、ショートスリーパーではないだろう。

「ああ、毎日寝不足だ。週末は寝だめするぞ」と感じているなら、それは脳からのSOSサイン。睡眠負債が雪だるま式にふくらんでいるかもしれない。

ほとんどの人は短眠の遺伝子をもっていない。そんな人がショートスリーパーを目指すのは、まったくの間違いだ。巷《ちまた》では「短時間睡眠法」などというメソッドも提唱されているが、科学的な根拠がないうえに、健康を害したり、パフォーマンスが低下したりと、デメリットが大きすぎる。

人間のなかには、ウサイン・ボルトのように100メートルを9秒58で疾走する人もいる。だからといって、私が「同じ人間だから、10秒を切るのも夢じゃない」と思い込むのはあまりにも無謀だ。睡眠も同じで、例外的な遺伝子をもつ人のまねをしても意味がない。

「眠りの借金」が寿命を縮める

睡眠負債は、脳にも体にもダメージを与える。

2002年にサンディエゴ大学のダニエル・F・クリプケ氏らが米国がん協会の協力を得て実施した100万人規模の調査では、アメリカ人の平均的な睡眠時間は7・5時間だった。

6年後、同じ100万人を追跡調査したところ、死亡率が一番低かったのは、平均値に近い7時間眠っている人たち。彼らを基準にすると、**それより短時間睡眠の人も、逆に長時間睡眠の人も、「6年後の死亡率が1・3倍高い」**という結果が出ている。

「遺伝的に向かないのに、無理やり短時間睡眠をしている」

「たっぷり寝るのはいいことだ！　と、眠りすぎている」

もし、あなたが当てはまるなら、健康を害しているかもしれないので要注意だ。

睡眠と寿命について、こんな調査結果もある。

薬物を使ってショウジョウバエの遺伝子に突然変異を起こし、その行動や睡眠を観察したところ、**短時間睡眠のショウジョウバエは短命だった**というものだ。

60日で生涯を閉じるショウジョウバエと違って、およそ80年に及ぶ人間の睡眠時間と寿命の関係を完全に調べるには、時間も費用も膨大にかかる。また、人間は肉体的にも環境の面でもハエよりはるかに複雑な要因で寿命が決まる。

よって同様のデータをとることは難しいが、全体の傾向としてはやはり**「短時間睡眠の人は短命」**といえそうだと私は考えている。

眠らない女性はどんどん太る

サンディエゴ大学の調査では**「短時間睡眠の女性は肥満度を表すBMI値（体格指数）が高い」**、つまり太っているという報告もある。グリム童話の『眠れる森の美女(Sleeping Beauty)』は文字どおり正しかったのだ。

図3 寝ないとこんなに太りやすい！

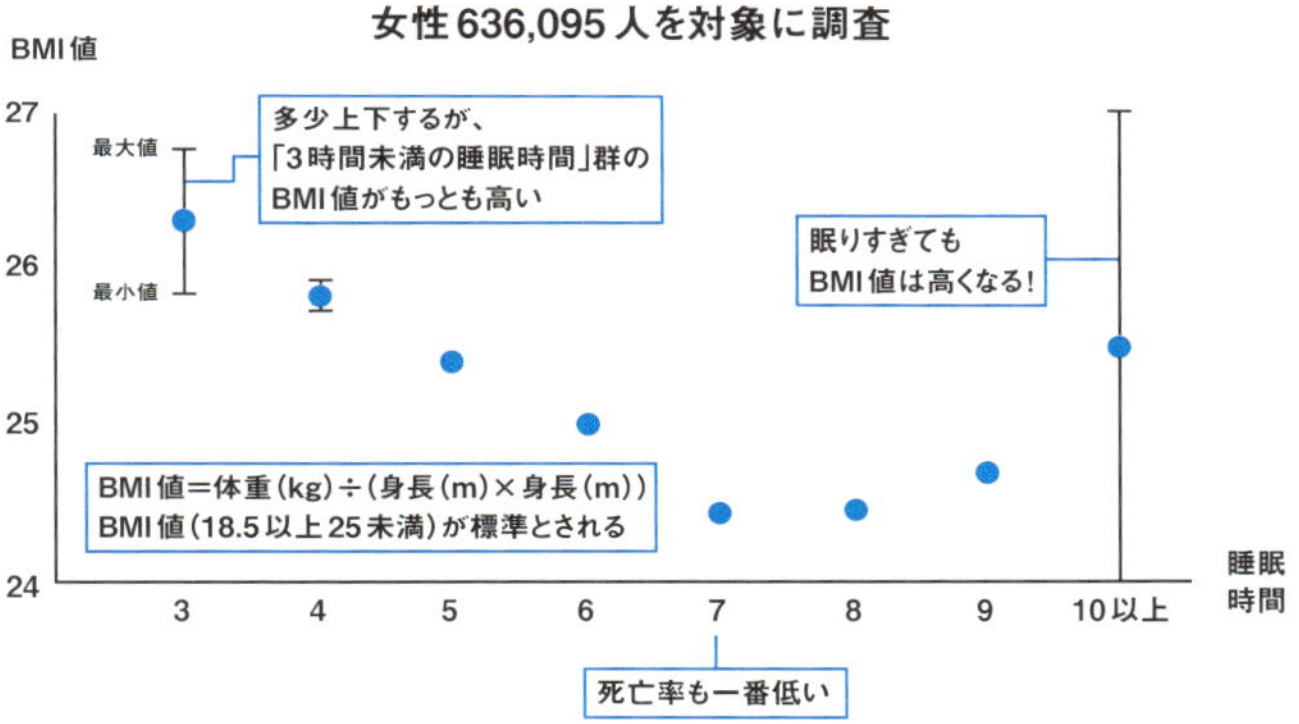

寝なくても、寝すぎても、ダイエットと健康に逆効果！

スタンフォード大学、名古屋大学、最近では上海《シャンハイ》の交通大学でも、死亡率や体重増加に関して、サンディエゴ大学の調査と同じような研究結果が出ているのも偶然ではないだろう。

２００２年にサンディエゴ大学の研究が発表されて以来、睡眠研究者だけではなく、内科医たちも睡眠の重要性を再認識して、さまざまな調査がおこなわれた。

すると、「睡眠制限をかけると大変なことが起きる」という報告が、次々と出てきた。

眠らないと、「インスリン」の分泌が悪くなって血糖値が高くなり、糖尿病を招く。

眠らないと、食べすぎを抑制する「レプチン」というホルモンが出ず、太る。

眠らないと、食欲を増す「グレリン」というホルモンが出るため、太る。

眠らないと、交感神経の緊張状態が続いて高血圧になる。

眠らないと、精神が不安定になり、うつ病、不安障害、アルコール依存、薬物依存の発症率が高くなる。


夜更けまで起きていて、やけにたくさん食べてしまった経験が、あなたにもあるだろう。それはホルモンの働きだが、**短時間睡眠が肥満や糖尿病、高血圧などの生活習慣病に直結する**のは右を見れば明らかだ。

SCNラボでの藤木通弘氏（現、産業医科大学）らの実験では、睡眠を制限したマウスはアルツハイマー型認知症にかかりやすいこともわかった。別の実験では、人についても**「睡眠負債や睡眠の質の低下があると認知症にかかりやすくなる可能性がある」**と報告されている。

国立精神・神経医療研究センターらのグループが報告した**「1日1時間以上の昼寝は認知症リスクを高める」**というデータもある。加えて東京大学のグループは欧州糖尿病学会で**「1日1時間以上の昼寝は糖尿病リスクも高める」**と発表した。

眠らなくても眠りすぎてもよくないことがおわかりいただけるだろう。

バスケットボール選手のシュート力はなぜ劇的に上がったのか

かように睡眠負債はダメージが大きいが、逆をいえば、**睡眠負債を返せばパフォーマンスは劇的に上がる**。

スタンフォードの男子バスケットボール選手を被験者とした、デメント教授の興味深い研究がある。10人の選手に40日、毎晩10時間ベッドに入ってもらい、それが日中のパフォーマンスとどう関係するかを調査したものだ。

具体的には、コート内で何度も折り返しのある80メートル走のタイムとフリースローの成功率を毎日記録した。

最初の数日、パフォーマンスはそれほど劇的には変わらなかった。

学生とはいえ、スタンフォードのバスケットボール選手といえばセミプロレベル。もともと80メートルの反復走を16・2秒で走り、フリースローの成功率は10本中8本、3点スローなら15本中10本というずば抜けて高い能力の持ち主ばかりだから、大きな変化は難しいと思われた。

ところが、2週間、3週間、4週間と経過するうちに、**80メートルのタイムは0・7秒縮まり、フリースローは0・9本、3点スローは1・4本も多く入るようになった。**選手自身、「すごく調子がいい」「ゲーム運びが良くなった」という実感も得ていた。いったい、何が起きていたのだろう？

選手たちは、夜この実験に参加し、昼は過酷な練習を続けていた。つまり、睡眠と関係なく、日々のトレーニングによって上達した可能性もある。

だが、そもそも激しいトレーニングをしていた一流選手ばかりだ。練習方法が変わっていないのに、ある日突然、全員そろって上達するとは考えにくい。

選手たちには、前述した夜勤明けの医師の実験と同じ、タブレットの画面に丸い図形が出るたびにボタンを押す実験もしてもらった。すると、**10時間ベッドに入り続けるうちに、リアクションタイムも良くなっている**ことがわかった。

そして40日に及ぶ実験が終了し、**10時間睡眠をやめたところ、選手たちの記録は、実験開始前に戻ってしまった**のだ。

つまり、**選手たちの集中力と思考力が高まり、エラーが減った理由は、睡眠にあった**。睡眠によって、パフォーマンスが上がったのだ。

「たっぷりの睡眠」でも脳は不満足

「眠りの返済」は難しい

睡眠負債による心身へのダメージと恐ろしさ。
睡眠負債を解消したときのパフォーマンスのすばらしさ。

この2点については、かなりお伝えできたと思う。

だが私は、「なのでしっかり寝てください」という話で終わらせるつもりはない。実際問題として、「毎日7時間眠る」のが難しいから、あなたはこの本を手に取っているはずだ。仕事や生活と折り合いをつけつつ、睡眠負債をどう解消していくか、そこに論点を移そう。

手っ取り早い解決策として、「日ごろの寝不足を、土日の寝だめで解消しているから大丈夫」と言う人もいる。しかし実際のところ、ほとんど解消されていない。

睡眠をお金として考えてほしいと述べたが、**お金の負債は返せても、睡眠負債はなかなか返せない**のだ。これについてもエビデンスがある。

週末の寝だめは効果があるのか？

「どれだけ眠れば寝不足は解消できるのか」を知るために、**健康な10人を14時間、無理やりベッドに入れた調査**がある。実験前の10人の平均的な睡眠時間は7・5時間。彼らに一日中、好きなだけ寝てもらう。

図4 「14時間連続」ベッドに入るとどうなる?

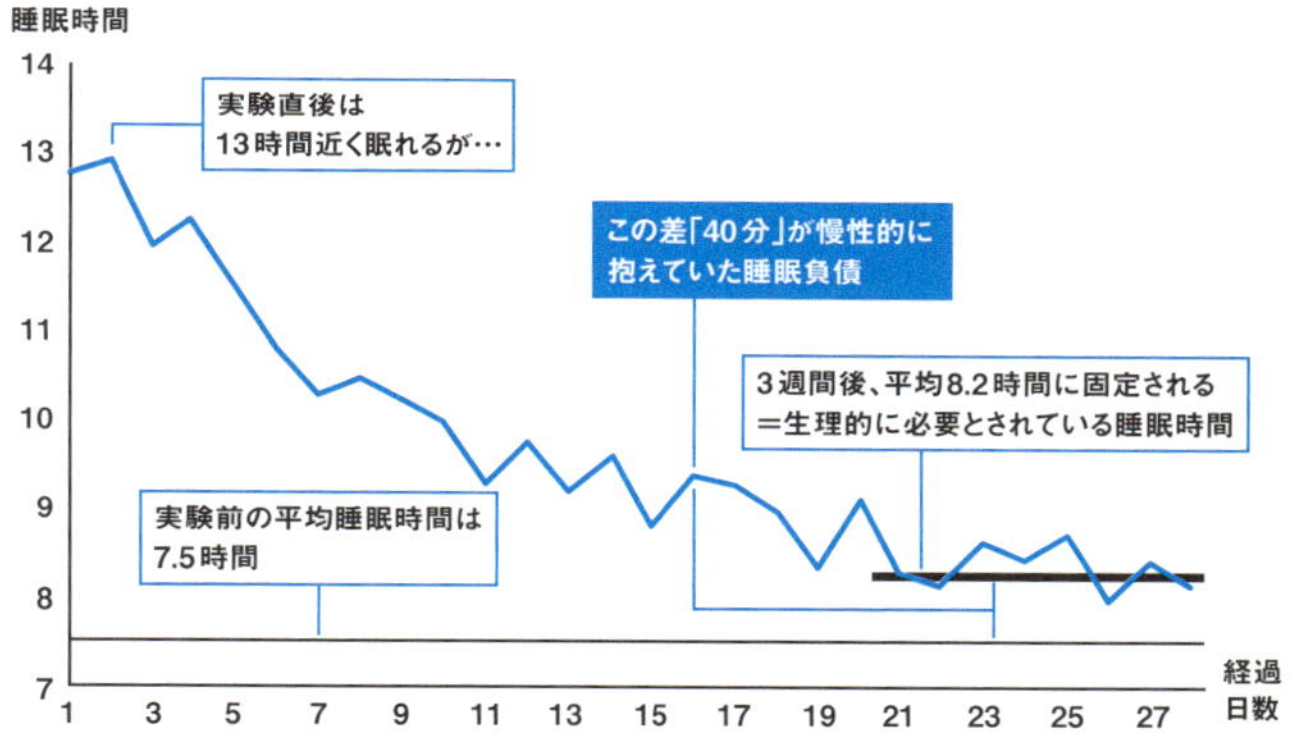

! 寝たいだけ寝ても、睡眠不足解消に3週間かかる!

1日目はみな13時間、2日目もみな13時間近く眠っていた。ところがその後は多く眠ることは無理で、徐々に睡眠時間が短くなり、逆に5時間も6時間もずっとベッドの上で起きているという状態になった。

結局、3週間後に睡眠時間は**平均8・2時間**に固定。これがこの10人の生理的に必要な睡眠時間だと考えられる。

だが、この実験のポイントは「理想の睡眠時間」を知ることではない。

8・2時間が理想の睡眠時間だとすれば、平均睡眠時間が7・5時間の彼らは長い間、「毎日40分の睡眠負債」を抱えていたということになる。

それが正常な8・2時間に回復するまでに3週間もかかった——つまり、**40分の睡眠負債を返すには、毎日14時間ベッドにいるのを3週間続けなければいけない**のだ。

これは、あまりに非現実的である。

日ごろの睡眠不足を1日2日で解消しようというのは、現実的に無理なのだ。


先ほど紹介したバスケットボール選手の実験からも、同じことが考えられる。

彼らは選手だから、練習と試合に相当な時間を費やしている。同時に大学生だから勉強もあるし、ときには仲間と騒いだり、デートをしたりするだろう。やりたいことが多くても1日は24時間だから、睡眠負債はあって当然だ。

なぜ、3週間、4週間たってからパフォーマンスが上がったのかといえば、実験前の睡眠負債を返すのに、それだけの時間がかかったからにほかならない。


週末の寝だめごときで、睡眠負債は解決しない。

「好きなだけ寝ろ」と言われたところで眠れないし、そもそも眠りはためられない。

つまるところ、**睡眠の問題を「時間」でコントロールするのは難しい**、となる。

たった40分の睡眠負債を返すのに3週間、毎日14時間もベッドにいるのは現実的ではない。また、珍しい遺伝子の持ち主でない限り、短時間睡眠には耐えられない。

そこで、いかに睡眠の質を高めるかが重要になってくるのである。

「黄金の90分」で最高の脳と体をつくり上げる

世界のエグゼクティブは始めている「睡眠メンテナンス」

睡眠（寝ている時間）と覚醒（起きている時間）は2つで1つ。

私はそう考えている。**良い睡眠がなければ良い覚醒はなく、良い覚醒によって良い睡眠も得られる**のだ。

スタンフォードをはじめとする研究者たちや、日本やアメリカの経営者を見ても、成果を出している人は、眠りについて意識が高い。すでに「睡眠メンテナンス」を始めているのだ。

食事に注意し、体を鍛えてメンテナンスするのはもはやビジネスパーソンの常識だ。世界のエグゼクティブやアスリートは、それと同様に、睡眠を大切にしている。むしろ**睡眠という基礎があってこそ、食事やエクササイズの効果が上がる**のだ。

彼らは最先端の情報を得るスピードが速く、いいと思えば誰よりも早く取り入れる。マーケティング用語でいえば、私たち専門家は最新の知識を生み出す**イノベーター**、出世する人は**アーリーアダプター（初期採用者）**というところだろう。睡眠医学の研究が進み、最新の情報を得た人たちは、眠りによって覚醒時の脳と体の働きが決まることを、いち早く理解しているのだ。

一般に、アーリーアダプターは全体の13・5％。**アーリーアダプターに続く人たちはアーリーマジョリティ（前期追随者）で、全体の34％を占めている**。あなたには、ここをまず目指してほしい。

少し前までは、「眠り＝休息」という古い解釈がまかり通っていたため、今でも「休まなくても平気だ！」で押し通すタイプの人もいる。おそらく、どれほど眠りが大切だといっても耳を傾けないだろう。

ひたすら現状維持にこだわるラガード（全体の14％）とは、直訳すれば「グズな人」だが、彼らは時代の変化に興味がなく、新しいものには疑いと否定の目を向け、非常に保守的だ。こういう人たちも一定数いるのが社会である。

少なくともあなたは、その一員ではないだろう。

「最初の90分」を深くせよ！

優秀な人は当然ながら多忙だ。睡眠時間をしっかり確保するのは難しい。

そこで私が提案するのは、「睡眠の質を最大限に高める」ことを突き詰めたメソッドである。

人は眠りに落ちてから目覚めるまで、ずっと同じように眠っているわけではない。

眠りには**レム睡眠（脳は起きていて体が眠っている睡眠）**と**ノンレム睡眠（脳も体も**

図5　睡眠は「ノンレム」と「レム」の繰り返し

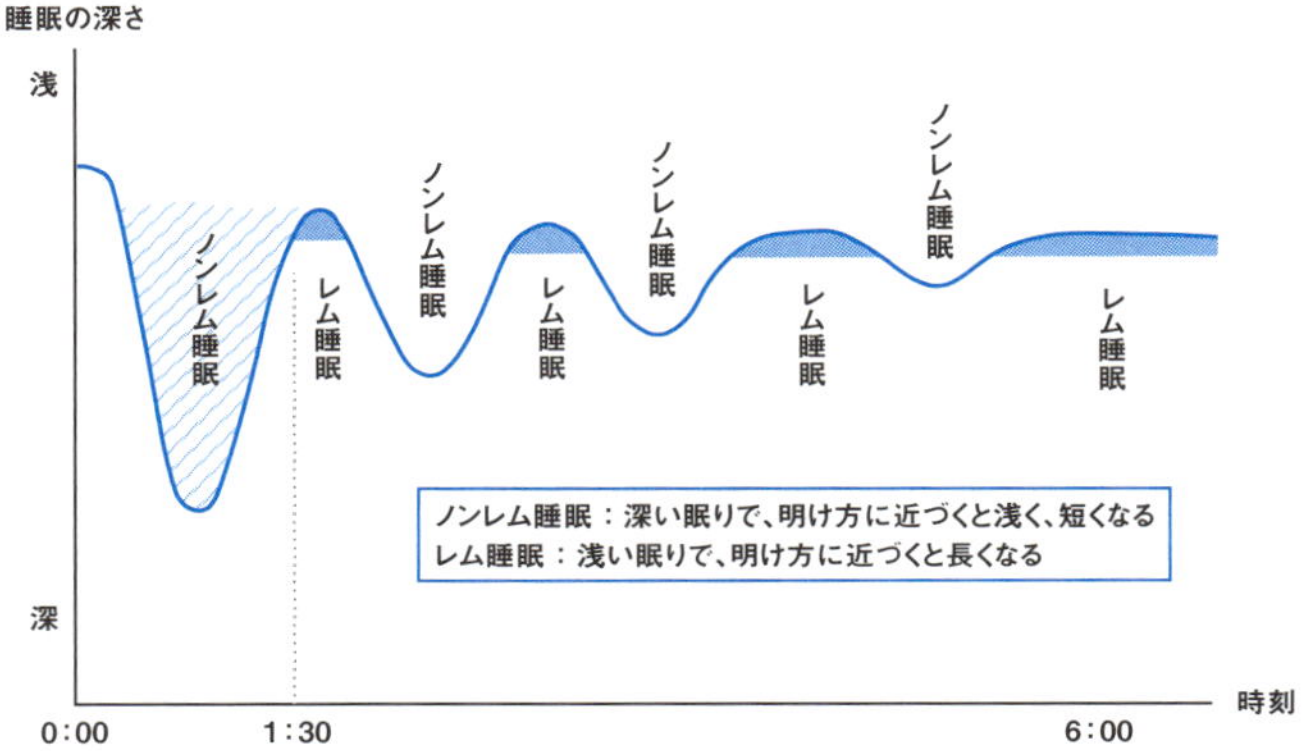

❗ 一番深い眠りは最初にやってくる！

眠っている睡眠）の2種類があり、それを繰り返しながら眠っている。

寝ついたあと、すぐに訪れるのはノンレム睡眠。

とりわけ**最初の90分間のノンレム睡眠は、睡眠全体のなかでもっとも深い眠りである**。この段階の人を起こすのは非常に難しく、無理に起こすと頭がすっきりしない。

脳波を測定すると、非活動状態であることを示す「大きくて、徐行運転のようなゆっくりとした波形」が出現するので**「徐波睡眠」**とも呼ばれている。

そして、入眠後およそ90分後に訪れるのが最初のレム睡眠。まぶたの下で眼球が素早く動く「急速眼球運動」が見られ、このタイミングで（割と現実的な）夢を見たりする。レム睡眠中は意識はないが、比較的簡単に起こすことができる。ちなみに、レムとは「急速眼球運動（Rapid Eye Movement）」の略だ。

この「ノンレム睡眠」と「レム睡眠」が明け方くらいまでに4、5回繰り返し現れ、**明け方になるとレム睡眠の出現時間が長くなる**のが通常の睡眠パターンだ。この浅くて長い明け方のレム睡眠時に目覚めるのが、自然な流れである。

ノンレム睡眠は入眠直後がもっとも深いが、逆に明け方に近づくにつれ、眠りは浅くなり持続時間も短くなる。

睡眠メンテナンスで意識したいのが、**「最初のノンレム睡眠」をいかに深くするか**ということ。

ここで深く眠れれば、その後の睡眠リズムも整うし、自律神経やホルモンの働きも良くなり、翌日のパフォーマンスも上がる。

つまり、入眠直後のもっとも深い眠りの90分が、最高の睡眠の鍵《かぎ》を握っているのだ。

寝始めがつくる「最強ホルモン」

「最初の90分が眠りのゴールデンタイム」といわれているが、まさに黄金だ。

たとえば、**グロースホルモン（成長ホルモン）がもっとも多く分泌されるのも、最初のノンレム睡眠が訪れたとき**。この一番深いノンレム睡眠の質が悪かったり、外部から阻害されたりすると、グロースホルモンは正常に分泌されない。

グロースホルモンは、その名のとおり子どもの成長に関与するだけではない。**大人の細胞の増殖や正常な代謝を促進させる働きがある**。「アンチエイジングに効果がある」などともよくいわれている。

また、長く起きていると**「眠りたい」という睡眠欲求（「睡眠圧」）**が高まってくるが、**最初のノンレム睡眠でその睡眠圧の多くが解放される**こともわかっている。

黄金の90分の質を高めれば、すっきりした朝を迎えられる。昼間の眠気も消える。

図6　最初の「ノンレム」が妨害されると、後が続かない！

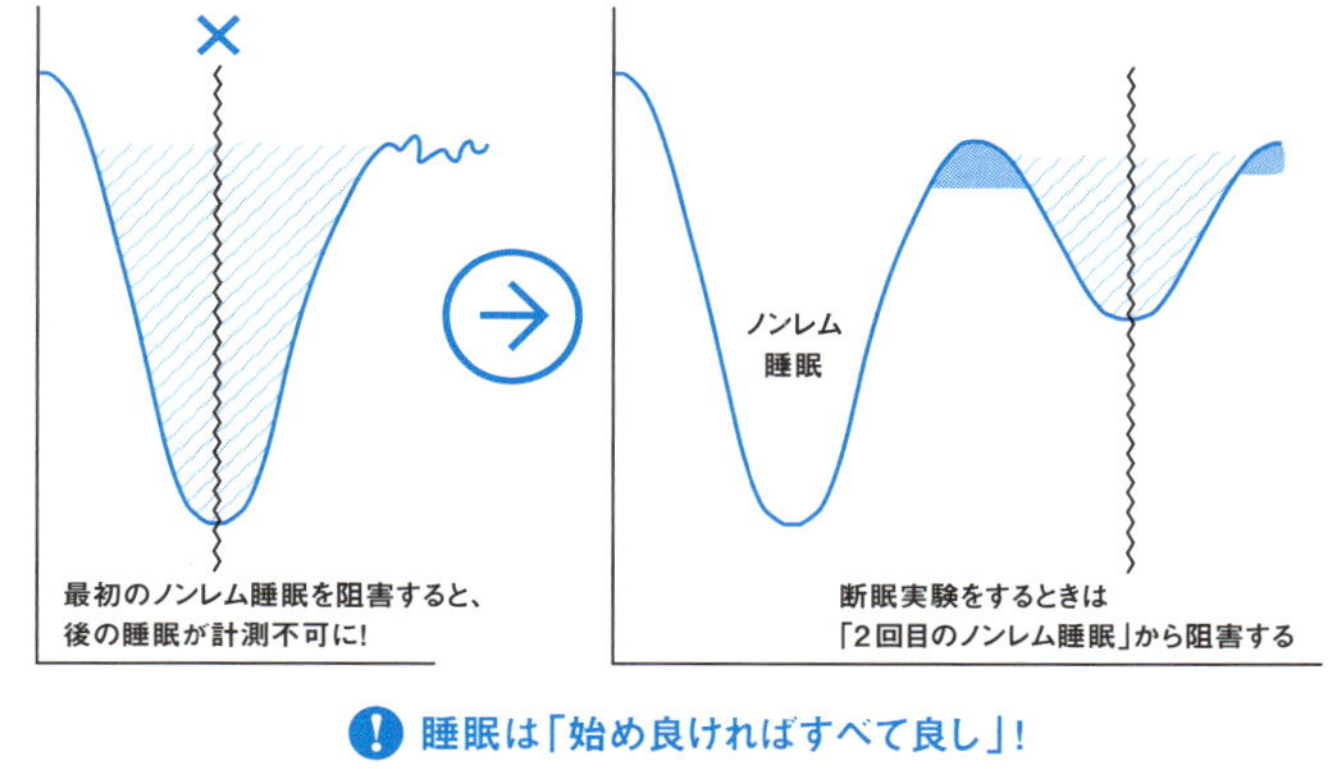
ノンレム
睡眠
最初のノンレム睡眠を阻害すると、
後の睡眠が計測不可に!
断眠実験をするときは
「2回目のノンレム睡眠」から阻害する
睡眠は「始め良ければすべて良し」!

さらに、「しっかり寝たはずなのに、疲れがとれない」こともなくなる。

詳しくは2章で述べるが、仮に4時間しか眠れなくても最初の90分の質が良ければ、その4時間の質を最大限に高めることができるだろう。

逆にいうと、**「寝る時間がない」なら、絶対に90分の質を下げてはならない。**

眠りはもちろん、翌日のパフォーマンスまで、シルバーやブロンズどころか鉄くずになるだろう。「睡眠の役割」を知るために、ノンレム睡眠の断眠実験をおこなうことがあるが、**最初の90分を阻害すると、その後の睡眠は計測不能となる**

ほど乱れてしまい、実験が継続できなくなるので、2周期目から断眠をすることも多い（なので、寝たばかりの人を起こすのはおすすめしない）。

それほど、**この90分は睡眠に欠かせない、最大基礎**なのである。

「Better than nothing」の法則

ひとつ断っておきたいのは、ショートスリーパー以外の普通の人は、**最低でも6時間**以上眠るのがベストだということだ。「時間にはとらわれないでほしい」といったが、この「6時間」は確保していただけると、睡眠学者としてもうれしい。

とはいえベストの眠りが難しいあなたに、ベターを提供するのが本書の目的である。「Better than nothing」とは「やらないよりマシ」という言い回しだが、マシどころの話ではない。本書で提案する**「睡眠のベター」によって、人生の質すら変わってくる**と私は確信している。

そして、そのベターを支えるのが、黄金の90分を手に入れるために欠かせない2つのスイッチ、「体温」と「脳」だ。これについては3章で詳述する。

よく寝るだけでは、パフォーマンスは上がらない。

逆にいうと、理想どおりに睡眠時間を増やすことは不可能でも、**眠り方を変えることで睡眠の質が高まり、覚醒時のコンディションが整うばかりか、パワーも増大する**ということだ。

それでは「質の良い睡眠」は、具体的に覚醒時の私たちにどんな影響を及ぼしているのだろう。睡眠には、はたしてどんな力が眠っているのだろうか。

これから「睡眠に秘められた力」を解き明かしながら、謎《なぞ》めいた「眠りの実態」に迫る旅へと歩みを進めていこう。

1

なぜ人は「人生の3分の1」も眠るのか

世界のエグゼクティブが大事にする「眠りの共通点」

トップアスリートほど「眠りへのこだわり」が強かった！

ソチ五輪に出場した日本人アスリート100人の寝具の好みについて、解析したことがある。調査を実施し、私に解析を依頼してきたのは寝具メーカーのエアウィーヴ社。同社はアスリートに愛用される高反発マットレスで知られている。

すると、競技ごとに選手が好むマットレスは明らかに違うことがわかった。

たとえば、ボブスレー選手は硬いものを好み、フィギュアスケート選手は比較的柔らかいものを好む。これはアスリート以外にも当てはまるようで、**体重が重く、がっちりした体型の人ほど硬めを選ぶ傾向にある**ようだ。

大柄で硬い筋肉をもつボブスレー選手と、細身でしなやかな筋肉をもつフィギュアスケート選手は、パフォーマンスはまったく違うだけに、「眠りの好み」が異なって

図7 「どんなマットが好き」かは体重で違う!?

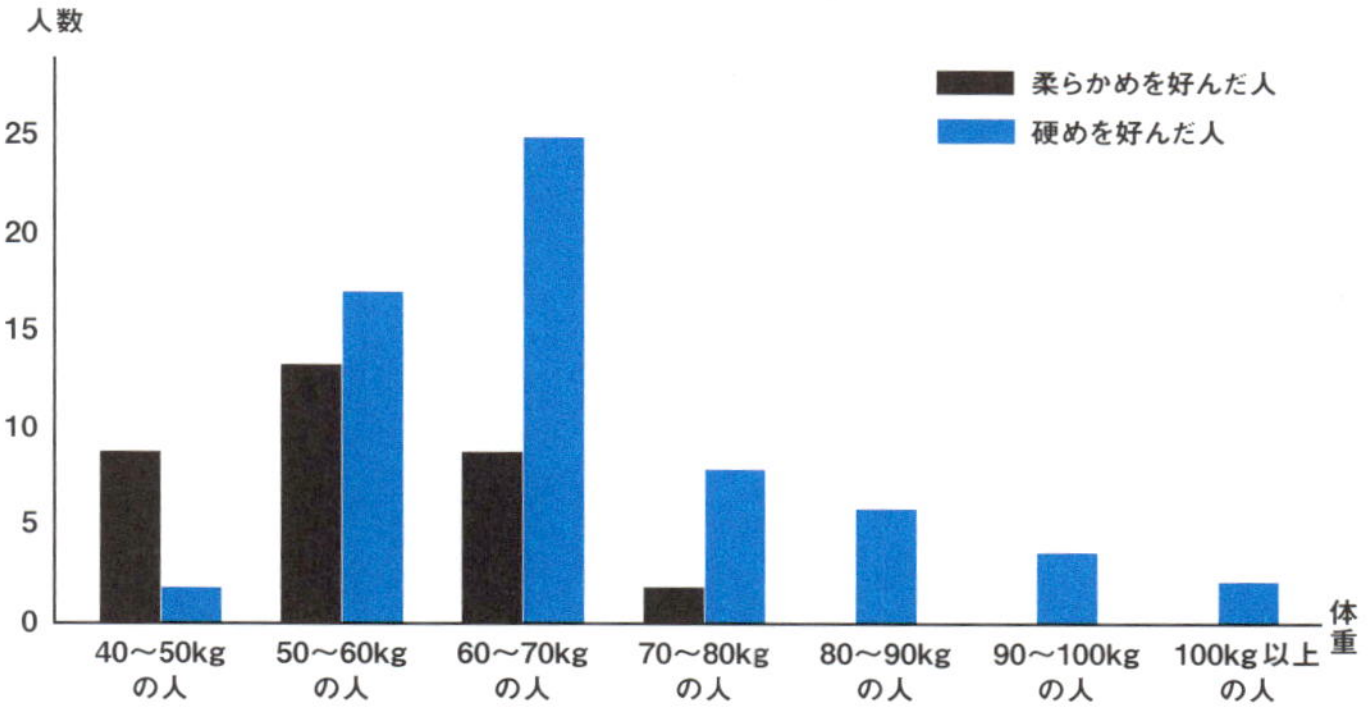

体重が重い人ほど「硬い寝具」が合いやすい

いたのだ。

さらに興味深かったのが、エントリーしている代表選手と控えの選手の比較である。

控え選手に比べると、代表選手のほうが眠りへのこだわりが明らかに強いことがわかった。

トップアスリートほど、寝具、明るさ、室温など、「睡眠時の環境」について、はっきりした自分の好みをもっていたのだ。

試合で最高のパフォーマンスをし、貪《どん》欲《よく》に記録を伸ばすには、起きているときのトレーニングや食事だけでは「足りない」ことを彼らは知っている。それゆえ、眠りに対してもセンシティブで、常にベストを模索するのだろう。

勝負への執念ともいえるトップアスリートのこだわりを目の当たりにし、私は、これはビジネスパーソンにも当てはまるのではないかと感じていた。

「睡眠ジャンク」から脱出するには

私は睡眠の専門家としてプロのテニスプレイヤーやメジャーリーガー、力士などにアドバイスをしたり、世界のエグゼクティブたちに、眠りについて話すことがある。

職業、人種、年齢、キャラクターはまちまちだが、いわゆる「超一流」の人たちを見ていると、共通点があることに気づく。

①超一流の人は、自分の専門分野で成果をあげる。
②超一流の人は、専門分野の枠を超えても、見識が深い。
③超一流の人は、物事をうまく運ぶコツやツボを押さえている（成功への普遍性を備えている）。

④超一流の人は、卓越した行動力がある。
⑤超一流の人は、正しい情報収集と理解力を武器にする。

超一流の人は、努力と成功のプロセスを通じて人格も磨かれているので、「先生のアドバイスのおかげで睡眠が改善しました」などとうれしいことを言ってくださるが、実は違う。

アドバイスを受けただけでは、人は変わらない。

キーポイントは、⑤であげた**「正しい情報収集と理解力」**にある。

超一流の人のまわりにはたくさん人が集まるから、あらゆる話を聞くだろう。

だが、彼らは決して大量の情報に振り回されない。

ジャンクだらけのデータの海の中から本当に必要なものを取捨選択するという「正しい情報収集力」がある。だからこそ、**超一流の人は成功までの最短ルートを見極め、短いスパンで結果を残す**のだと思う。

「睡眠ジャンク」から抜け出すためにも、まずは選び抜いた「睡眠エッセンス」をあなたにしっかりお伝えしていきたい。

知識が脳に眠りをもたらす

知識は深刻な睡眠障害にも役に立つ。

日本でもアメリカでも、**慢性的に不眠の症状を抱えている人はおよそ20〜30%いる**とされるが、「不眠症の治療には睡眠薬」というのが一般的だ。今は副作用も少ない良い薬が出ているが、問題は常用性と依存性。「服用量がしだいに増え、薬をやめると眠れない」となる点だ。

それでいて不眠症は「プラセボ（偽薬）効果」が高い。つまり、ただの小麦粉でできた錠剤でも、「これはかなり強い睡眠導入剤です」と医師が処方すれば、患者はあっさり眠れたりする。

要は、**睡眠はそれだけ脳とかかわりが深い**ということだ。そこで、薬を使わずに不眠症を治そうと始まったのが**「認知行動療法」**と呼ばれる手法である。

①正しい知識を得て理解を深める（認知）。
②翌日の活動の質・パフォーマンスを上げるための行動づけをする（行動）。

たとえば「仕事のプレッシャーで眠れない。酒でも飲んで寝よう」という考えのもと、寝しなに大量のアルコールをとる人がいたとする。これは間違った認知と行動の代表だ。

大量のアルコールは眠りを浅くし、睡眠の質を確実に落とす。アルコールの利尿作用と飲酒による水分摂取でトイレに行きたくなり、目が覚めてしまうことも。

睡眠の量が確保できない人は、絶対にやってはいけない眠り方だ。

そこで、「仕事のプレッシャーで眠れない。だからよく眠るための（3章以降でお伝えする）2つのスイッチを入れよう」という、これから本書で取り上げる正しい知識を理解したうえで、正しい行動をする。その行動が習慣になれば、ストレスによる不眠は解消する。これが「眠りの認知行動療法」だ。

認知行動療法の長所は、薬と違って依存性も副作用もなく、やめてもリバウンドがないことだ。さらに、お金もかからない。

睡眠の臨床医たちは、**「まず患者に睡眠生理の説明をしてから、認知行動療法に移ると効果が上がる」**と述べている。

だからこそ、この章でお伝えする睡眠の基礎知識を理解し、間違ったジャンク情報を捨てたうえで、「眠りのためになる」行動へと移っていただきたい。

15分もあれば読了できるように、重要な点だけに絞ってダイジェストでお伝えしていくが、すでにご存じなら、さっと斜め読みして確認するだけでもかまわない。

睡眠に課せられた「5つのミッション」

真夜中、脳と体では何が起きているのか？

ぐっすり眠った翌朝、あなたの脳と体はどんなコンディションだろう？

頭が冴《さ》えているからアイデアも生まれやすい。

集中力が途切れないので、思考の精度が上がる。

コンディションが整い体調も良いので、粘り強く仕事に取り組める。

では、「ぐっすり眠る」とは何だろう？　その答えは、やはり真夜中、とくに眠り始めの90分にある。


真夜中に睡眠がきっちりと役割を果たしていれば、翌日のパフォーマンスは確実に上がる。長期的にも脳と体、そして心の健康につながるだろう。

眠っている間、脳と体で何が起きているかを知れば、「ぐっすり眠る＝質の良い睡眠」とはどういうことかがみえてくる。

睡眠が遂行するミッションは、おもに次の5つだ。

睡眠ミッション①　脳と体に「休息」を与える

睡眠の役割で、欠かせないのが休息だ。「睡眠＝休息」ではないが、大きな役割であることは確かだ。「100％電源オフ」にはならないが、睡眠中の脳と体はまさしく「スリープモード」になっている。

人間の体では、意思とは関係なく自律神経が常に働いている。体温を維持し、心臓を動かし、呼吸し、消化し、ホルモンや代謝を調整するのが自律神経だ。

よく知られているとおり、自律神経には**活動モードの「交感神経」**と、**リラックスモードの「副交感神経」**がある。この2つは24時間働いているが、代わる代わる、どちらかが30％ほど優位になる。

日中は交感神経が優位だ。体内では血糖値と血圧、脈拍が上がり、筋肉と心臓の動きが活発になる。脳は緊張感と集中力を増す。

緊張時や集中しているときには、神経細胞が活発化するので、現れるのは早い波形の脳波。逆にリラックスすれば、ゆっくりで乱れの落ち着いた脳波が現れ、ストレスを取り除く「α《アルファ》波」などが出現する。

ノンレム睡眠中と食後は、副交感神経が優位だ。心臓の働きや呼吸がゆるやかになる。食後は胃腸の働きが活発になり、消化と排泄《はいせつ》が促される。

どちらも大切なのだが、ビジネスパーソンの悩みは、交感神経優位の状態が多すぎる点だろう。常に活動モードを続ければ、体と脳は疲労し、ストレスがたまる。

夜になったらスムーズに副交感神経優位の状態に交代しないと、寝つきが悪くなり、眠りが浅くなる。やがて自律神経のバランスが崩れると、体温や腸管の働きなど、根本的な体の機能もすべておかしくなることに。

眠り始めのもっとも深いノンレム睡眠が出現する黄金の90分で、しっかりと副交感神経優位に転換し、脳と体を休ませることが、最高の睡眠の第一ミッションである。

睡眠ミッション②「記憶」を整理して定着させる

記憶に関してはさまざまなグループが独自のデータをもとに意見を述べているので、知識が完全に統合されているわけではない。だが、**学習後に睡眠をとることで記憶の定着が進む**という知見は多い。

睡眠と記憶については、複数の学者の報告から、次のような概念が提唱されている。

・レム睡眠中、エピソード記憶（いつどこで何をしたか）が固定される。

・黄金の90分で訪れる深いノンレム睡眠は、イヤな記憶を消去する。
・入眠初期や明け方の浅いノンレム睡眠では、体で覚える記憶（意識せずに覚えられる記憶）が固定される。

つまり、ノンレム睡眠、レム睡眠を数セット繰り返し、時間がたつとともに浅い睡眠に移行する中で、記憶が整理され、定着していくのだ。記憶というとインプットばかりに意識がいくが、イヤなことや不要なことは忘れることも大切だ。

また、最近では、**入眠直後のもっとも深いノンレム睡眠のときに、海馬から大脳皮質に情報が移動し、記憶が保存される**という報告もある。

このことからも、記憶にとって睡眠が欠かせないことがわかる。

新生児はレム睡眠が9割ほどだが、脳の発達段階でレム睡眠が減少し、13歳くらいで大人と同程度にノンレム睡眠が増える。ここから**「レム睡眠は脳の発達に関係する」**という仮説も生まれ、研究されているが未知の部分も多い。この部分は私の「生涯の研究テーマ」のひとつなので、必ずや突き止めたいと思っている。

「睡眠学習は効果がある」という説は、睡眠時の脳が記憶を処理していることから出てきたのだろうが、これは私が知る限り、何のエビデンスもないジャンク情報だ。

睡眠ミッション③「ホルモンバランス」を調整する

脳はホルモンのバランスも制御しており、睡眠時には多くのホルモンが働いている。ホルモンは生活習慣病とも密接にかかわりがあるので、「良き友」としてつきあいたいところだ。

良い眠りは、生活習慣病の改善にもつながることは研究でわかっている。

たとえば睡眠を制限すると、脂肪細胞から分泌される「食欲を抑制するレプチン」が減少し、胃から分泌される「食欲を増すグレリン」が増えることは先ほど書いた。そのほか、細胞を生まれ変わらせ、身体機能を活発化させる「アミノ酸」などにも変化が生じる。このように、睡眠とホルモンバランスは密接な関係にあるのだ。

とりわけ**グロースホルモン（成長ホルモン）は、黄金の90分にもっとも多く出る。**

大人の場合、このホルモンのおかげで筋肉や骨は強くなり、代謝が正常化される。
グロースホルモンと構造が近い、**生殖や母性行動に関与するプロラクチンも最初のノンレム睡眠で多く分泌される**。

皮膚の保水量は睡眠で上がるのだが、これは肌の水分が、睡眠と密接につながっている「性ホルモン」や「グロースホルモン」の影響を受けるからである。

睡眠ミッション④「免疫力」を上げて病気を遠ざける

免疫はホルモンと連動しており、睡眠との関係も深い。

睡眠が不適切になると、ホルモンバランスが崩れ、免疫の働きもおかしくなる。風邪やインフルエンザ、がんなどの免疫に関係する病気になる可能性が高まるのだ。

睡眠には休息という役割も大きいので、**「風邪は寝て治す」というのは免疫力向上と休息の面で理にかなっている**。

実際、インフルエンザの予防接種でワクチンを取り入れても、**睡眠が乱れていると免疫が確立せず、ワクチン接種の効果が認められない**という報告もあるほどだ。

また、リウマチなどの自己免疫疾患やアレルギーは、天候などさまざまなものがトリガーとなるが、免疫機構とも大きくかかわっている。つまり、睡眠時の免疫増強がきちんと働いていないと、**アレルギーが悪化する危険もある**のだ。

睡眠ミッション⑤「脳の老廃物」をとる

脳は直接、頭蓋骨《ずがいこつ》に収まっているわけではない。「脳脊髄《せきずい》液」という保護液につかっているので、転んで頭を打っても、脳が骨に直接ぶつかって傷つかずにすむのだ。

小さな「脳のプール」ともいえる脳脊髄液はおよそ150cc。1日4回、600ccほど入れ替わっている。**新しい脳脊髄液が出て、古いものが排出されるとき、脳の老廃物も一緒に除去される**というエビデンスがある。

脳の老廃物自体は、神経細胞が活発である覚醒《かくせい》時にたまる。**日中の覚醒時にも「たまった老廃物除去」はおこなわれているのだが、それだけでは追いつかない**。なので、就寝時にまとまったメンテナンスが、脳からしても必要なのだ。

脳の老廃物がきちんと排出されないと、アルツハイマーなどの疾患の引き金となる可能性もある。

私たちのラボで実験したところ、**アルツハイマーになりやすい遺伝子をもったマウスの睡眠を制限すると、アルツハイマーの原因物質のひとつ「アミロイドβ」がたまりやすくなる**ことがわかった。これは、眠っていれば正常に分解・排出され、蓄積しないはずの脳の老廃物だ。

これらのマウスに睡眠剤を与えて無理にでも眠らせると、アミロイドβ《ベータ》の沈着率も下がった。私たちはこの研究を『Science』に発表しているが、人間でも「睡眠障害とアルツハイマーのリスク」に関して類似したデータが出てきている。


もちろん、これは「睡眠制限はもともとアルツハイマーになりやすい人の認知症発症率を促進する」という話で、睡眠負債は認知症の直接原因ではなく、あくまで危険因子である。

だが、脳の老廃物の排泄がうまくいかないと、アルツハイマーに限らず、長期的に脳のダメージにつながることは確かだ。

「寝る前の目薬」で目は良くなる？

睡眠の役割は、以上の5つだが、最初にあげた休息の役割はやはり大きい。疲労を回復してこそパフォーマンスは上がるのだ。

私たちは放っておくと、自分の脳も体も使いすぎてしまう。ヒトが明かりと出合ってから「夜は暗くて何もできない時間」という生物としての大前提が崩れ、20世紀の終わりには当然のように「24時間オンタイム」が可能になってしまった。

だからこそ、意識的に休むことが必要だし、睡眠という休み時間を「フル活用」する工夫があってもいい。

たとえば私はコンピュータの影響で、よく目の疲れを感じる。もともと視力が低いこともあり、グラフィックな作業をしたあとなどは、ドライアイの見本のような状態だ。同じ悩みを抱えるビジネスパーソンも、少なからずいるだろう。

そこでしばしば疲れ目用の点眼薬を使うが、夜寝る前にさすと、そのあと瞼《まぶた》を閉じたままになり、目を使わない休息期に回復させることになるので、より効果があると感じる。

眼科は私の専門外だし、こうした目薬の類《たぐ》いは対症療法で、一時は良くなるが抜本的な治療とはならない。だが、**対症療法だからこそ、休息とセットにすることでより効果を強める**という工夫をしてもいいだろう。

「風邪薬を飲んだらぐっすり寝なさい」という母親の言葉は、やはり正しいのである。

睡眠の終着駅「夢」の不思議

夢はたくさん見たほうが良かった！

睡眠の5つのミッション以外にも、眠りを語るうえで欠かせないのが「夢」の話だ。

なぜ、私たちは夢を見るのだろう？

そもそも、「夢」とはいったいどんな現象で、どんな役割があるのだろう？

不思議あまねく夢の世界に、少し寄り道していこう。

「夢を見るのはレム睡眠のとき」という知識がある人も多いだろう。

たしかにレム睡眠のとき、私たちは夢を見る。だが、**ノンレム睡眠中もかなり夢を見ている**ことが、実験でわかっている。**夜、私たちは常に夢の世界にいる**のだ。

１９５０年代のレム睡眠の発見直後、レム睡眠中に夢を見ていることが明らかになったが、１９５７年、「ノンレム睡眠中でも人は夢を見る」こともデメント教授が報告し、その後複数の研究者により確認された。

起きたとき覚えている夢は、通常目が覚める直前に見ていた夢である。普通、浅いレム睡眠を繰り返しながら人は目覚めるため、「レム睡眠＝夢を見る」となっていた。ところが、深いノンレム睡眠中に起こしてみたところ、その際も夢を見ていたことがわかったのだ。

夢の内容を記述してもらったところ、**レム睡眠はストーリーがあって実体験に近い夢、ノンレム睡眠は抽象的で辻褄が合わない夢**が多いことがわかった。

「体は寝ていて脳は起きている」レム睡眠中は、覚醒時のように大脳皮質が活性化していて、**見ている夢に関連して大脳の運動野の手足を司る神経細胞が活性化している。**

つまり、脳の中では「体を使って、さも現実かのように夢の世界を体験している」ので、具体的かつ合理的なのだ。

動物も夢を見るというのは、イヌやネコを飼っている人ならわかるだろう。私は何十日も睡眠中のイヌの脳波を記録したことがあるが、眠っているイヌが楽しそうに尻《しっ》尾《ぽ》をふることがよくある。そのとき、イヌはまさに「レム睡眠の真っ最中」なのだ。

ノンレム睡眠中は「脳も寝ている」ので、夢を見ても大脳の運動野は活性化しない。深い睡眠中に急に起こされると、いわゆる「寝ぼけた」状態になってしばらく思考が混乱し、場所や時間の整合性がつかないようなときがあるが、「ノンレム睡眠中に見る夢」もまさにこの状態に近い。

以上のことから、起きた直後、「抽象的でよくわからない」夢を記憶している場合、ノンレム睡眠中に目覚めたと考えられる。これは、「人はレム睡眠のとき、自然に目が覚める」パターンから外れているので、眠りが乱れている可能性も捨てきれない。

また、**「レム睡眠」と「ノンレム睡眠」が入れ替わるごとに、夢も切り替わっているる**こともわかっている。これを踏まえると、**夢は見た回数が多いほど、レム睡眠とノンレム睡眠のスリープサイクルをしっかり回せている**ことになる。

つまり、正常なリズムどおりの睡眠がとれていれば、人は7、8回ほど、別々の夢の世界を旅しているのだ（何とも残念なことに、しっかり眠れば眠るほど、最後の夢以外は忘れてしまっているのだが……）。

「見たい夢」は見られるのか？

ちなみに、なぜ「明け方の夢」は覚えているのだろう。明け方見る夢それ自体に、何か意味はあるのだろうか？

おそらく、**「覚醒直前のレム睡眠時に見る夢」には「起きる準備」という役割がある**と考えられる。

これは「なぜ夢を見るのか？」ということにもつながると思うが、寝ぼけを回避するために、定期的にレム睡眠で大脳を活性化させて交感神経を優位にし、「目覚め」とそこから続く「覚醒活動」の準備を担っているためと思われる。こう考えると、明け方に近づくほど「合理的な夢を見る」レム睡眠が長くなるのも理にかなっている。

では、「見たい夢」は見られるのだろうか？

「夢を見る」とされたレム睡眠に関する重大な発見（レム睡眠にかかわる神経機構やメカニズム、どこにその神経はあるのかなど）は、レム睡眠自体の発見から10年以内に見つかったものが多い。しかし、まだ解明されていないことが多いのも事実だ。

「好きな夢が見られるのか」についても、レム睡眠発見直後に盛んに検証された。具体的には次のような調査がおこなわれている。

・「見たい」と思った夢を事前にあげ、実際にその夢を見た確率を求める。
・寝ている人の耳に息を吹きかけたり、冷水を顔にたらしたりして「音や温熱、皮膚感覚」の刺激をおこない、夢内容が変化するか、もしくは刺激が夢内容に取り込まれないかを調べる。

で、結論はというと……**「見たい夢を見るのは不可能」**。事前の宣言と夢内容が一致したり、夢が刺激によって変化したりすることは、偶然に起こる以上の頻度で生じることはなかった。

なかには、大学の教室で、100人もの学生が少し離れた場所で眠っている特定の一人の学生に、夢の内容をいっせいに話しかけてその内容の夢を見させることはできるのかなどの実験も、真剣になされた。

今では一笑に付されるかもしれないが、当時は学生も教官も必死だった。「夢を見る睡眠」の発見が、それほどまでに衝撃だったのだ。

眠りの質が「覚醒レベル」をこう決める

「睡眠不満足者」はこんなに損している！

そんな夢の世界から目覚めたとき、あなたはどれくらい自分の眠りに満足しているだろう？

「ちっとも眠れません。私は不眠症だと思います」

こう訴えて睡眠クリニックにやってくるたくさんの人を診察し、検査をしたら、実は寝ていたというケースはアメリカでも日本でも多い。

医師たちは「ミスパーセプション（誤認）」で片づけてしまうが、本人は、「不眠＝量の問題」と思っていたら、「寝ているのに疲れがとれない＝質の問題」だった、ということもある。さらに、何らかの未知の病変がある可能性も否定できない。

何が原因にしても、患者が困っているのだから、良い睡眠でないことは確かだ。

「自分の睡眠に満足している」と言う人は少数派だ。

「寝つきが悪い」「睡眠不足だ」「寝ているのに疲れがとれない」と言う人は、感覚的ではあるが70％以上。逆に「満足している」と言う人は30％にも満たない。

しかし、こと睡眠においては、この「不満足」が普通となってしまっている印象を受ける。えてして「不幸なこと」だとはあまり認識されていないようだ。

この「不満足感」を解消すれば、脳と体のコンディションが上向き、「注意散漫」

や「体調不良」といったネガティブな問題が限りなくゼロに近づくにもかかわらず。

あなたの「眠りの質」はどうすればわかる？

では、どうすれば自分の睡眠が満足いくものかどうか、厳密にわかるのだろう？

睡眠の良し悪《あ》しを科学的に測定するために、専門家は**「睡眠ポリグラフ」**と呼ばれる装置を用いて脳波、筋電図、眼球運動、心電図などを同時記録する。複数の生体シグナルを同時測定するのが、「ポリグラフ」である。

睡眠ポリグラフは、睡眠の深さと量を測定するために、1950年代に考案された。現在に至るまで進化を続け、多角的に各部の動きを計測してくれる。

たとえばレム睡眠時には筋肉が脱力するので筋電図を測る。それに、急速眼球運動も出現するので眼球の計測もおこなう。また、「睡眠時無呼吸症候群」は頻度も多く重篤な睡眠障害なので、呼吸と動脈の酸素も同時に測る。

同時測定したこれらのデータをもとに、あなたの睡眠を「30秒ごとに、眠りのステージを各4段階で判定する」のが「睡眠ポリグラフ検査」だ。

健康な人の睡眠パターンはある程度決まっているので、睡眠の深さや移行パターンが通常どおりであれば、良質の睡眠だといっていい。

とはいえ、**睡眠の量と質を正確に測定できる施設は限られており、加えて非常に手間と時間がかかる**。患者の拘束期間は長く、そして医療機関の労力も大きい。当然、検査費用も高くなる。

もっと困るのは、検査室の睡眠環境だ。データ計測のためとはいえ、体中にコードを張り巡らされればよけいに眠りづらく、普段の睡眠状態は反映されにくいといわざるをえない。

検査しにくいからこそ、科学的診断の前に、**自覚症状という一番精度の良い検査方法**をフル活用してほしい。睡眠は誰とも共有できない個人的な体験だ。

また、眠りの前後だけでなく翌日のパフォーマンスについても「自分の感覚」を点検すると、質の良い眠りがとれているかどうかが見えてくる。

睡眠とあなたは切っても切れない関係にある。「眠い」「もっと寝たい」という感情は睡眠からあなたに発せられた「救難信号」なのだ。

逆に、日中コンディションが良く集中力が続いているなら、睡眠がしっかり仕事を果たせていることの「夜の世界からの内なる報告」だと受け止めよう。

「致死率40%」なのに身近な睡眠障害

眠りに悩む多くの人は、本書のアドバイスで大部分が改善する。

だが、睡眠には未知の部分がまだたくさんあり、思わぬ病気が隠れていることもあるのでご注意いただきたい。

不満足な眠りによって「集中力の著しい低下」など、日常生活に明らかなトラブルが起きている人は、睡眠障害の疑いもある。ぜひ、一度診察を受けてほしい。

なかでも**睡眠時無呼吸症候群**は、頻度も高く危険な睡眠障害だ。

欧米人の場合、肥満している人に起こりやすいという特徴がある。脂肪が気道を狭めて圧迫するのが大きな要因だ。

ところが、**日本人の場合、痩せていても睡眠時無呼吸症候群になる**。アジア人は顔が平たく、下あごが奥まり、気道がもともと狭いからだ。

この病気の危険信号は「いびき」。「大きないびきをかき、よく息が止まっている」という指摘を家族に受けたことがあるなら、睡眠時無呼吸症候群の恐れがある。

もちろん、いびきだけで呼吸が止まっていないこともあるし、健康な人でも、睡眠中にときどき呼吸が止まるのは珍しいことではない。とくに飲酒した夜など、多少止まることはよくある。大人の場合、10秒間の呼吸停止が1時間に5回くらいであれば問題ないとされている。

だが、睡眠時無呼吸症候群は1時間に15回以上も呼吸が止まる。60回近く止まる人もいて、この状態になると、**1分ごとに、10秒も20秒も、首をグッと絞められたのと同じ状態で眠っている**のだ。これでは「眠った気がしない」のも当然だ。

睡眠時無呼吸症候群は、さまざまなトラブルを引き起こす。

日中にマイクロスリープが頻繁に起きる。
肥満、高血圧、糖尿病など、さまざまな生活習慣病になる。
血液が粘着質になり、心筋梗塞《こうそく》、脳梗塞が起きやすくなる。
休息できない。自律神経、ホルモン、免疫も正常に働かない。
重症の場合、放っておけば約4割の人が8年以内に死亡する。

カナダの調査では、**「睡眠時無呼吸症候群の人は、診断され治療がなされれば個人の年間医療費総額が半分に減る」**というデータがあるほどだ。

睡眠時無呼吸症候群は、マウスピースで気道を広げたり、CPAP（経鼻的持続陽圧呼吸療法）という器具の装着で呼吸停止を防ぐといった治療で、比較的簡単に改善する。心配な人は、ぜひ診察を受けてほしい。

「睡眠時無呼吸症候群」という睡眠障害の認知度は高まってきているようだが、まだ「肥満体型の中年男性がかかりやすい」イメージが強いようだ。

しかし、これは「体が大きい人」「ある程度年を重ねた人」に限った話ではない。

老若男女、子どもも含めたすべての年齢で発症する。また、心不全などの疾患に合併してお年寄りが発症するリスクも高いので、注意してほしい。

いびきは「歯の悲鳴」？

そんな睡眠障害のサインともされる「いびき」だが、厳密にいうといびきは口呼吸であり、**口呼吸も睡眠の質を下げる**。

哺乳類《ほにゅうるい》は本来、鼻呼吸が優位である。少し昔の実験だが、成長期のサルの鼻の穴をふさぎ、口呼吸をさせる実験があった。すると、サルの歯並びは、短期間に一目でわかるほど悪くなった。ちょうど両八重歯がぐっと前に突き出た状態だ。

鼻をふさがれ、過剰に気道を確保しようとしたために、歯に変異が起きたと私は考えている。これほど鼻呼吸は大切なのだ。

ここから、歯科矯正をする前、「就寝時に呼吸障害がないかを疑う」教訓がアメリカで生まれた。

アメリカではとくに歯科矯正が盛んなので、これは重大事項だったのだ。

「眠っているのに眠気がとれない」という人は、起きているとき「鼻で吸って鼻で吐く」呼吸についても意識したほうがいい。

具体的には、「鼻で吸って鼻で吐く」腹式呼吸を日中意識してやってみてほしい。そのうえで、毎日眠る前に深呼吸をして交感神経を落ち着かせて副交感神経優位にしてみよう。この**腹式呼吸が習慣になれば、睡眠中も口呼吸で眠らずにすみ、いびきも解消する**だろう。

世界的研究者を変えた「睡眠力革命」

かように睡眠の質が悪いと、目に見えて健康被害が起きる。日中のパフォーマンスも確実に下がる。

ビジネスパーソンの場合、特殊な才能がある人以外はわずかな差が成功するかしないかの分かれ目となる。ネガティブインパクトはできる限り排除するのが得策だ。

また、あなたがリーダーだったり、重要なポストについているなら、睡眠の質を高めるのはもはや義務ぐらいに心得てほしい。

あなたの意思決定で多くの人が影響を受けるのに、質の悪い睡眠で頭がぼんやりしていたり、体調が悪かったり、ましてや仕事中にマイクロスリープが起こったりするなど、言語道断だ。

事実、アメリカではリーダーほど眠りを大切にしている。

「睡眠を大事にするのが、アメリカ上層部の強み」

だと、つくづく感じるほどだ。

プライバシーの問題があるので詳しくは書かないが、世界的に著名なある研究者は、「眠っても疲れがとれないし、日中も頭が冴えない」と悩んでいた。

私は話を聞いてすぐに睡眠クリニックを紹介し、アポイントメントもとって差し上げたところ、「睡眠時無呼吸症候群」という診断が下された。

どんなにつらかったことだろう。毎日夜な夜な「見えざる手」によって首を絞められながら、必死に重要な仕事をこなしていた彼の負担の大きさに、胸が痛んだ。

睡眠時無呼吸症候群は恐ろしい病気だが、対症療法ではあるものの、効果絶大な治療法が確立されている。器具をつけ始めると、彼の睡眠の質はたちまち改善した。

「自分がいかに研究に集中できていなかったのか、今でははっきりとそれがわかる。きちんと眠れることで昼間の眠気もなくなり、劇的にパフォーマンスが変わった。まるで、**脳の移植手術をしたみたい**だ」

治療後の彼のうれしい言葉は、今でも忘れられない。

睡眠時無呼吸症候群に限った話ではない。

今の睡眠の質が良くない人は、逆にいうと、眠りの正しい知識を得、眠り方を改善することで、脳がまるで新しく生まれ変わったかのように思考がクリアになり、仕事のパフォーマンスを上げられるのだ。

睡眠を変えることの効果は計り知れない——この「眠りの質の重要性」を押さえたところで、次のステップである「眠りの質」を左右する「黄金の90分」について話を進めていくことにしよう。

2

夜に秘められた「黄金の90分」の法則

「8時間寝たのに眠い人」と「6時間寝てすっきりした人」

なぜ「ウォッカを飲むオペラ歌手」は歌がうまいのか？

「昨夜、よく寝ましたか？」

同業者同士はこれが挨拶《あいさつ》言葉だと教えてくれたのは、オペラ歌手の下崎響子さん。表現者は体のコンディションが直接仕事に影響する。俳優、音楽家、みなそうだろうが、歌手はとくに「体が楽器」だ。

彼女の話を聞いていてさらに興味深かったのは、寝しなにウォッカを飲んで眠る歌手が多いということ。

オペラは上演時間が長い。休憩も挟むから、長いものだと5時間もかかる。「幕が下りるのが夜の10時や11時」というのは当たり前だそうだ。

終わって身支度を整え、すぐに帰ったとしても、「はい、おやすみなさい」とはならない。スポットライトと大勢の観客の注目を浴びて全身全霊で歌い、喝采《かっさい》と歓声に包まれた脳と体は極度の興奮状態にある。そこでアルコール度数が強いウォッカをクイッとあおり、素早く訪れる酔いの力を借りて眠るらしい。

大量のアルコールは睡眠の質を下げるが、度数が強くても量が少なければその心配はない。もちろん体質もあるが、**飲んですぐに眠ることで、最初の90分、しっかりと深く眠れている**のだろう。

ウォッカはアルコール度数が40度。なかには90度近いものもある強い酒だ。ワインはおよそ14度、ビールは5度程度だが、このようなアルコール度数の低い酒をだらだらと長時間飲むより、一口含んで目を閉じるのは入眠にはいいと思われる。

「最初の眠気のタイミングを絶対に逃してはいけない。眠くなったらとにかく寝てしまわないと、その後、深い眠りは訪れず、いくら長く寝てもいい睡眠にはならない」

私がこの話をすると、「そんなことは知らなかったけれど、経験としてやっているのかもしれませんね」と下崎さんは驚いていた。

眠りが翌日の公演に大きく影響すると、彼らは体で学んでいるのだろう。

目を閉じるとやってくる「スリープサイクル」

健康な人の場合、**目を閉じてから10分未満で入眠する**。心拍数がだんだん落ち着いて、交感神経の活動が低下し、副交感神経優位になっていくのだ。

入眠後には比較的短時間で一番深いノンレム睡眠にたどり着く。このとき、脳波を測定すると、「遅くて大きな波形が出る」ことから、ノンレム睡眠のことを「徐波睡眠」と呼ぶことは先にも書いた。質の良い眠りか否かは、ある程度脳波でわかるのだ。

その後、眠りは少しずつ浅くなり、突然覚醒《かくせい》時のような「振幅の小さい、早い脳波」が出現し、急速な眼球運動が始まる。レム睡眠の到来だ。幼児で顕著だが、このとき体がピクピク動くような筋肉の収縮が起こる。

入眠から約90分間ノンレム睡眠が続き、90分後最初のレム睡眠が現れる。最初のレム睡眠は短く、数分程度のこともあり、レム睡眠の終わりで「眠りの第1周期」は完

図8　スリープサイクル中、何が起きているのか?

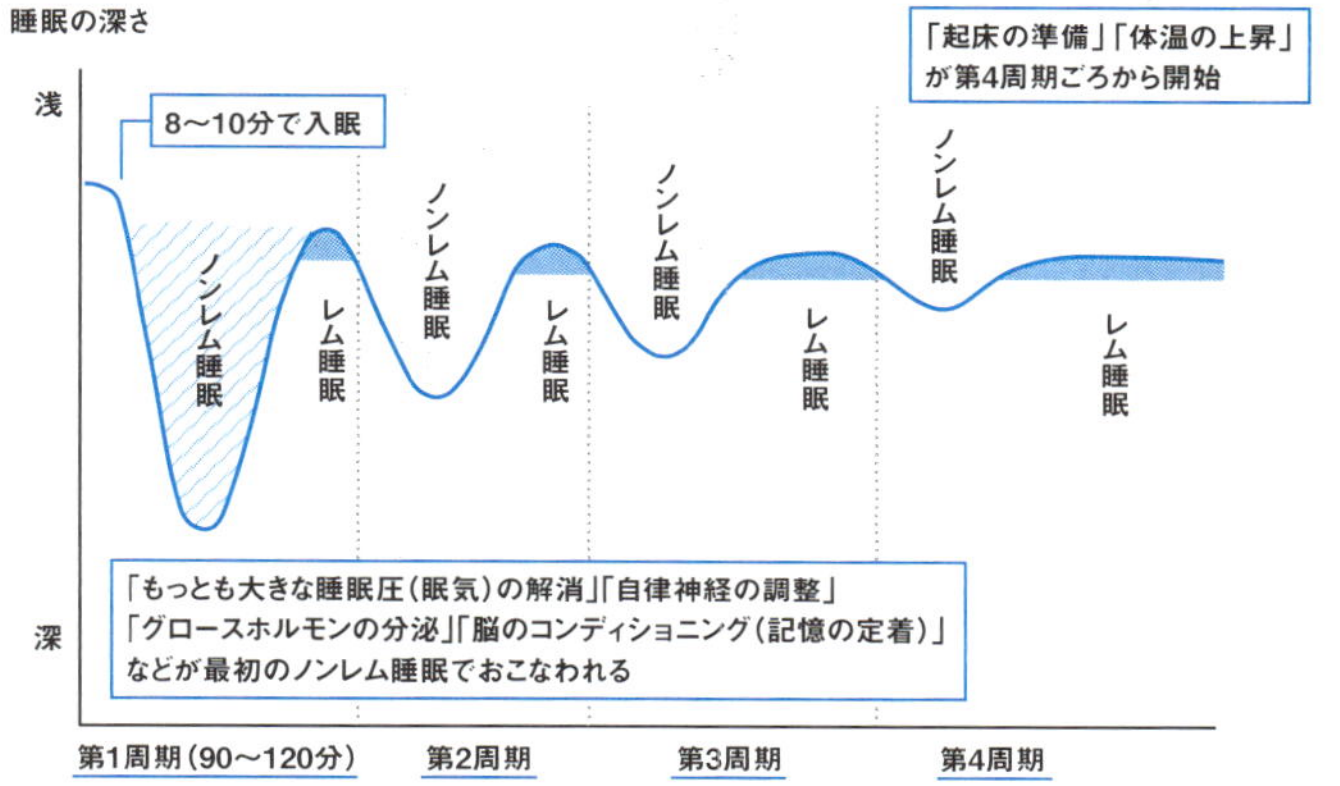

寝始め90分で脳と体のコンディションが決まる!

結する。

ノンレム睡眠の深さにはレベル1〜4があり、入眠時は段階を経て深くなり、覚醒時は段階を経て浅くなっていく。

睡眠はこの繰り返しだ。第2周期以降のノンレム睡眠は、1回目ほど深くはならない。6〜7時間眠る場合は、90〜120分のスリープサイクルを第4周期まで4回ほど繰り返すことになるわけだが、しつこいようだが**その質は第1周期の質で決まる**。

長く起きていると眠りたい欲求「睡眠圧」が蓄積し、眠るとこの圧が放出されるのだが、**睡眠圧の放出が第1周期で**

もっとも強くなることも、実験で確かめられている。

つまり、**何時間寝ようが、最初の90分が崩れれば、残りも総崩れになってしまう**ということだ。「6時間睡眠の人」と「8時間睡眠の人」がいた場合、眠り始めの質いかんで、「6時間睡眠の人」のほうがぐっすり眠れていてすっきりしていることだってありえるのだ。

最初の90分がしっかり深く、その後も正しい睡眠パターンどおりになっていれば、「朝起きたときに調子がいい」「パフォーマンスが高い」のは当然で、逆に身体疾患や精神疾患のある患者は最初の深い90分のノンレム睡眠が出現しにくい傾向がある。

とくにうつ病を抱えている人ではこれが顕著だ。

「うつ病患者は最初のレム睡眠が、90分よりもっと早く出現する」と以前から報告されているが、むしろ私は、「うつ病では最初のノンレム睡眠の質が悪い」と思っている。つまり、**「最初の90分の質が悪いことで、気分・体調・自律神経機能が整わない」典型的な例がうつ症状**なのだ。

レムとノンレムは90分周期じゃなかった!?

「睡眠時間は90分単位が良い」といわれるのは、スリープサイクル（睡眠周期）が根拠となっている。

睡眠は「第1周期＝入眠↓ノンレム睡眠↓レム睡眠」「第2周期＝レム睡眠↓ノンレム睡眠↓レム睡眠」の繰り返しでできており、1周期はおよそ90分といわれることが多い。通常、これが4～5回繰り返され、眠りが浅くなるレム睡眠が現れたところで起きると良い、というわけだ。

ただし、スリープサイクルにはかなり個人差があるため、**実際の1周期はおよそ90～120分**と幅がある。そこで、「睡眠時間は120分の倍数が良い」としている研究者もいる。

したがって、起きるタイミングも個人の睡眠周期によって異なるのだ。

なので、巷《ちまた》でいわれているように「90の倍数の時間眠る」ことにはそこまでとらわれる必要はないと、私は考えている。

ただ、共通していえることは、第1周期には深いノンレム睡眠が約70〜90分出現し、「入眠時から90分の睡眠」が確保できれば深いノンレム睡眠が十分とれるということ。

これが黄金の90分の根拠だ。

「睡眠で一番大事なのはいつ?」と聞かれれば、それはやはり「最初の90分」。黄金の睡眠時間に関しては、やはり「90分」だというのが私の意見だ。

肝心なのは最初のもっとも深いノンレム睡眠に無事たどり着くこと。

睡眠の1周期が120分の人でも、もっとも深い眠りとなるのは入眠後90〜110分くらいだから、黄金といえるのはやはり眠ってからの90分である。

眠りにおいては「始め良ければすべて良し」。最初のノンレム睡眠が確保されると、たくさんのメリットがある。

ここからは「黄金の90分」で得られるメリットについて紹介する。まずは3大メリットをあげておこう。

最初の90分が「黄金」になる3大メリット

メリット① 寝ているだけで「自律神経」が整う

入眠して眠りが深まっていくとき、交感神経の活動が弱まり、副交感神経優位になる。「活動時は交感神経、休息時は副交感神経」という自律神経の役割交代がスムーズに進むと、脳も体もリラックスし、しっかり休息をとることができる。

レム睡眠に入ると、脳波は覚醒時と近い波形を示し、交感神経の活動が活発になって呼吸や心拍が不規則に変化する。

前述したとおり、自律神経は呼吸、体温、心臓や胃腸の働きなど、生命を維持するために欠かせないものであり、自律神経の不調は体ばかりか心の病気の原因にもなる。

頭痛、ストレス、疲労感、イライラ、肩こり、冷え性など、「何となく調子が悪い」という違和感の根っこには、自律神経の乱れがあることが多い。

自律神経の重要性を、すでに知っている人も多いだろう。音楽や香り、絵本やストレッチなど、自律神経のバランスを整える方法論もたくさん提唱されている。

そのなかでも、**「黄金の90分をしっかり眠る」というのは、自律神経を整える最高の方法**だ。

自律神経のバランスがいいから深く眠れるのか、深く眠るから自律神経が整うのかといえばニワトリと卵のようだが、自律神経はそれだけ眠りと深くかかわっている。

メリット② 「グロースホルモン」が分泌する

生物の体はすべて、**24時間前後で1周する「固有の体内時計」**をもっている。このリズムが**「サーカディアンリズム（概日リズム）」**と呼ばれているもので、実際には地球の自転に合わせて「24時間（日内リズム）」で動いている。人間の体内時計は24時間よりも長いわけだが、健常な人であれば地球のリズムである「24時間周期」に日々軌道修正されており、多くのホルモンもこの日内リズムの影響下にある。

しかし、グロースホルモンの場合、日内リズムの影響も受けはするものの、その分泌量は**圧倒的にノンレム睡眠の質に依存している**。

グロースホルモンは第1周期のノンレム睡眠時に際立って多く（70〜80％）分泌される特殊なホルモンで、「いつもなら寝ている時間」に起きているとまったく分泌されないのだ。

また、入眠時間を明け方や日中にずらすと、入眠初期に分泌を観察することはできるが、夜間の第1周期ほどの大きな分泌は起きない。

グロースホルモンは子どもの成長にかかわっているが、若者や幼少期だけのものではない。量は減るものの、老人になっても分泌する。

前述したように成人のグロースホルモンは、細胞の成長や新陳代謝促進、皮膚の柔軟性アップや、アンチエイジングの役割も果たすとされている。生き生きと活動するためには、ぜひ味方につけておきたいホルモンだ。

最初の90分で一番深いノンレム睡眠が出現しないと、グロースホルモンの分泌は減ってしまう。残りの睡眠時間では、睡眠の深さも変わり、脳と体が覚醒の準備を始めるので、一晩通じての分泌量が極度に減少するのだ。

これを逆手にとれば、**最初の90分を深く眠れば、グロースホルモンの80％近くは確保できる**ことになる。

仮に5時間睡眠で起きなくてはならなくても、最初の90分をしっかりと眠れば、少なくともグロースホルモンの全体量はさほど減らさずにすむのだ。

メリット③「脳のコンディション」が良くなる

質の良い眠りには、ノンレム睡眠だけではなく、レム睡眠も欠かせない。

たとえばうつ病患者には最初の深いノンレム睡眠が十分でなく、前述のようにレム睡眠もとても早く出現する（従来より、うつ治療として「レム睡眠断眠法」もある）。

また、日中何度も突然眠ってしまうナルコレプシー患者は、入眠時にいきなりレム睡眠が出現し、これが「金縛り発作」や「脱力発作」の原因になる。因果関係はまだはっきり解明できていないが、抗うつ薬の多くは「レム睡眠抑制」の作用があり、ナルコレプシー患者の「脱力発作予防」に用いられている。

そうしていったん病状が改善し、最初の深いノンレム睡眠が整うと、レム睡眠も整い、黄金の90分へと近づいていく。その結果、全体のスリープサイクルも整うことがわかっている。

脳と眠りの関係は、まだ謎《なぞ》が多い。しかし、うつ病や統合失調症の患者は最初の90分が乱れている事実から、**「黄金の90分には、脳のコンディションを整える働きがある」「脳のコンディションが黄金の90分に反映される」**という仮説は成り立つだろう。

少数精鋭の「睡眠部隊」を味方につける

「どうしても資料を作らないと……」な夜の過ごし方

「どうやって黄金の90分を手に入れるのか」というと、答えはいたってシンプルだ。毎日同じ時間に寝て、同じ時間に起きる。ベッドに入るのは日付が変わる前、できれば23時くらい。人間も日内リズムに支配されているので、夜になれば眠り、朝になれば起きるのは生物として理にかなっている……。

だが、**ほとんどのビジネスパーソンにとってこれは無理難題**だろう。

「もう、午前0時。でも、どうしても資料を作らなければならない」といった夜が、あなたにもきっとあるはずだ。そんな夜でも、徹夜だけは避けてほしい。

私がおすすめするのは、**眠気があるならまず寝てしまい、黄金の90分が終了した最初のレム睡眠のタイミングに起きて、資料作りにとりかかる**という作戦だ。最初のレム睡眠も入れてわずか１００分ほどしか寝ていないとはいえ、深く眠れていれば質は確保される。

また、最初にレム睡眠がやってくるタイミングは人によって多少違ってくるので、アラームをセットするならば「90分後」と「１００分後」（ないし「１１０分後」）の２つをおすすめする。

この場合、睡眠量は明らかに不十分。しかし、質の面では「最低条件下の最大限のメリット」を得られることになる。

眠った時間の「100分」は、その後の効率アップで確実に元がとれるだろう。

一方、眠気をこらえて明け方4時ごろに資料を作り終えて「せめて7時まで3時間寝よう」というのもよくある話だが、この場合、目が冴《さ》えてなかなか眠れない。集中していた脳は興奮している。入眠のタイミングを逃しているから、仮にすぐ眠れたとしても、この時間では黄金の90分は出現しない。

また、サーカディアンリズムの働きで、朝が近づくにつれ、体は起きる準備を始める。明け方に「脳が活性化し、交感神経が高まる」レム睡眠が多くなることはすでに説明した。**「明け方に深い眠りをとる」というのは、地球に逆らうやり方**なのだ。

さらに、グロースホルモンはかろうじて分泌されるが、そのほかのホルモンは日内リズムの影響を受けているので、明け方に寝ると正常に分泌されない。

また、明け方には覚醒作用があるステロイドホルモンの分泌が始まるなどして、起きる準備もおこなわれる。

結局、明け方まで仕事をしてから眠っても、「ベッドに入ってうとうとしたけれど、寝た気がしない」という、量が少ないうえに質も悪い状態に陥る。逆に寝入った場合は深い眠りに入ってしまい、寝ぼけ眼《まなこ》で出社することに。これではレポートがたとえうまく書けたとしても、プレゼンは失敗だ。

黄金の90分の法則を知っているか知らないかで、翌日のパフォーマンスへの悪影響を最小限にとどめられるか、最悪の結果に終わるかが決まってしまうのである。

なぜ年をとると眠れないのか？

日中、**頻繁に眠気に襲われるナルコレプシー患者の夜には、黄金の90分が存在せず、頻繁に夜間目を覚ます**ことになる。

原因か結果かはわからないが、うつ病、統合失調症の患者も、眠ったところで黄金の90分が得られず、日中に眠気を感じることが多い。

また、睡眠時無呼吸症候群の患者は眠ったとたん、1時間に15回以上「見えざる手」に首を絞められるので、当然、黄金の90分は得られない。それどころか目が覚めてしまうこともあり、日中はマイクロスリープが起きる。日中の眠気も重大だが、もっと大変な身体疾患のリスクもあることはすでに述べたとおりだ。

レストレスレッグスシンドローム、日本では「むずむず脚症候群」といわれる病気には、眠っているときに勝手に脚が動いてしまう症状がある。加えてかゆみを感じることもあるので、やはり黄金の90分は訪れず、翌日のパフォーマンスは低下する。

これらの事例から、どれだけ黄金の90分が大切なものか、おわかりいただけるだろう。疾患がなくても**最初の90分が乱れてしまえば、夜の世界が明けたとたん、「苦しい現実世界」の幕が上がる**のである。

残念ながら加齢によっても黄金の90分は出現しにくくなる。高齢の方も本書のメソッドに従って健全な睡眠をとり、健康な脳を維持してほしい。

病気の人には適切な治療を受けていただきたいし、睡眠に悩む人には、これから取り上げる**黄金の90分を確保する「2つのスイッチ」**を手に入れてほしい。これが私の願いなのだ。

「体温」と「脳」に眠りスイッチがある

こうすれば、すぐに・ぐっすり眠れる！

「睡眠は始めが肝心」とはいえ、多くの人が寝つきの悪さに苦労している。

毎日同じ時間に就寝するというやり方はサーカディアンリズムに合っており、寝つきを良くして深く眠るのに効果的なアプローチだ。

あなたのライフスタイルが、「規則正しい生活を送ることも可能」であれば、毎日の就寝時間と起床時間（**とりわけ就寝時間**）を固定しよう。これも立派な認知行動療法のひとつだ。

だが、規則正しい生活を送れない人もいるし、普段は規則正しくても、「明日は出張で4時起きだから、今すぐ眠りたい！」という日もあるだろう。90分だけ眠ってから資料を仕上げたい夜も、素早く眠れなければ時間がなくなる。

そこで本書では、**子どものようにすぐに眠れる、2つのスイッチ**を紹介したい。

そのスイッチとは……ずばり、**「体温」**と**「脳」**。

「体温」と「脳」というスイッチによって、あなたの体と頭はスリープモードに切り替わり、睡眠が劇的に変わる。

スムーズに眠りの世界の入り口へとたどり着き、より深く眠れる。

たとえ量が少なくても、質を最大限に高められる。

途中で目が覚めてしまう悩みも減る。

そして翌日は頭が冴え、パフォーマンスが向上する。

つまり、体温と脳は入眠を促すだけではない。睡眠の量が多かろうと少なかろうと、しっかり「質」を高めてくれる、何とも頼もしい味方なのである。

赤ん坊も知っている「体温のスイッチ」

まず、**質の良い眠りであれば体温が下がる。**この体温の低下が睡眠には欠かせない。

人間の体温は、睡眠時より覚醒時のほうが高い。睡眠中は温度を下げて臓器や筋肉、脳を休ませ、覚醒時は温度を上げて体の活動を維持する。ただし、これはあくまで、体の内部の体温 **（深部体温）** の変化の話だ。

体温は、「筋肉や内臓による熱産生」と、「手足からの熱放散」によって調節されている。

深部体温は日中高くて夜間低いが、**手足の温度（以下、皮膚温度）はそのまったく逆で、昼に低くて夜間高い**。

覚醒時には、通常深部体温のほうが皮膚温度より2℃ほど高い。皮膚温度が34・5℃の人であれば、起きているときの深部体温は36・5℃ということだ。

健康な人の場合、**入眠前には手足が温かくなる。皮膚温度が上がって熱を放散し、深部体温を下げている**のだ。

このとき、**皮膚温度と深部体温の差は2℃以下に縮まっている**。

つまり、**スムーズな入眠に際しては深部体温と皮膚温度の差が縮まっていることが**

図9　「深部体温」と「皮膚温度」の差が縮まると眠くなる

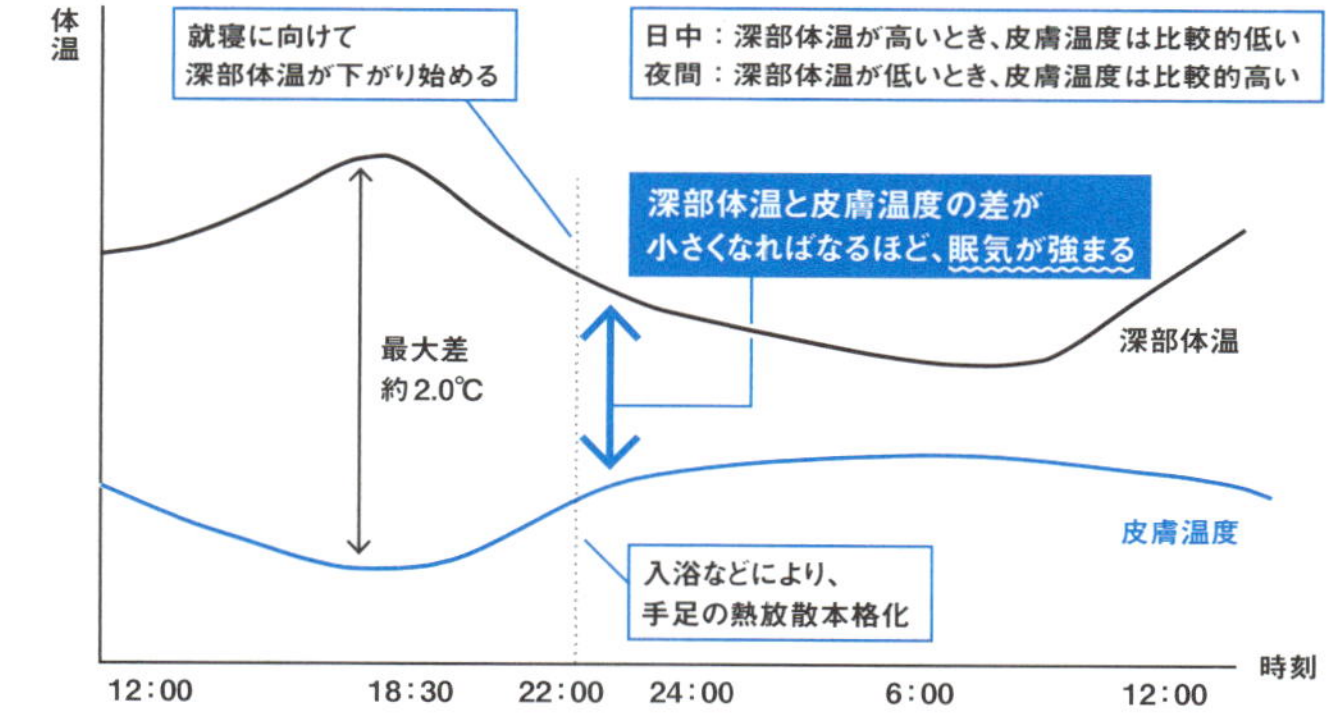

深部体温が下がると同時に、手足が温かくなることがポイント！

鍵なのだ。

皮膚温度が34・5℃の人であれば、睡眠時の深部体温は36・5℃から36・2℃程度に下がっているだろう。

赤ん坊が眠くてむずがっているとき、ほっぺが赤くなって手足はぬくい（大人ではこれほど極端な変化はないが、同様の変化が生じている）。**入眠時にはまず手足から熱放散が起こり、続いて深部体温の変化が起こる**のだ。この変化を助けてやれば、入眠しやすくなる。これはヒトでの実験により実証されている。

入眠時には深部体温を下げ、皮膚温度は上げて差を縮める。これが黄金の90分を手に入れる1つ目のスイッチの入れ方だ。

頭が睡眠モードに切り替わる「脳のスイッチ」

この章の冒頭のオペラ歌手のエピソードで、「喝采と歓声に包まれた脳と体は極度の興奮状態にある」と述べた。

ビジネスパーソンの脳も、興奮、緊張している時間が長い。仕事のストレスや肉体的な疲労は、脳を常に活動モードにしてしまうからだ。また、仕事以外にも、運動や食事、スマホやコンピュータなど、脳を眠らせないトラップは無数にある。

こう考えると、ビジネスパーソンのみならず現代人はみな、24時間脳が興奮しているといっていい。

また、**脳が興奮していると体温も下がりにくい**。不眠症にもいろいろな原因があるが、いわゆる「原発性不眠症」（身体疾患や、精神疾患などの特定の原因が見いだせない不眠症）では、不安定な体温下降や深部体温上昇が続く「過剰な覚醒状態」にあるという説も、昨今注目されている。

だからこそ、ウォッカよりももっと一般的で効果がある、脳のスイッチを知っておこう。

「脳のスイッチ」を適切に切っていくことで、眠り始めの乱れを防ぐことができる。

明るい部屋と暗く落ち着いた部屋、どちらが眠りやすく、またぐっすり眠れるだろう。答えはきっと、後者に集まるにちがいない。

そんな落ち着いた部屋で眠るため、寝室までの各部屋や廊下の電気を順番に切っていく――「脳のスイッチオフ」とはそんなイメージだろうか。

それではここから、スタンフォードでの睡眠研究で得た知識を総動員した、より実践的な「睡眠メソッド」にステージを移そう。

あなたから束《つか》の間離れていた、「最高の眠り」を、もう一度、手元にたぐり寄せようではないか。

3

スタンフォード式
最高の睡眠法

体温と脳が「最高の睡眠」を生む

「よく眠れる人」と「眠れない人」の差はわずか2分

「ベッドに入ってもなかなか眠れない」という寝つきの悪さを訴える声は多い。

では実際、寝つきが悪い人とすぐ眠れる人では、入眠にかかる時間にどれだけの差があるのだろう？

眠りに入るまでの所要時間を**「入眠潜時」**と呼ぶ。

エアウィーヴの実験で、若くて健康な人10人を集めて入眠潜時を計ったところ、平均7～8分で眠った。これが正常値と考えていい。

比較のために、健康だが「寝つきが悪い」と自覚する55歳以上の人20人を集めて入眠潜時を計ったところ、10分程度だった。

寝つきが良い人と悪い人の差は、わずか2分。

「なかなか眠れない」と思っていても、実際は寝ているケースは意外なほど多いのだ。

なかには数十分寝つけない人もいるが、治療を要する睡眠障害は別にして、「最近寝つきが悪いかも」くらいの感覚であれば、それほど神経質になる必要はない。

要は、「昼間眠気が強い」「頭がすっきりしない」「ミスが多い」など**日中の覚醒度の低さが睡眠の質の良し悪しを判断するポイント**になる。

ただし、私たちが暮らしているのは、コンピュータの影響やストレス、さまざまな刺激にあふれた「眠りにくい社会」だ。

かくいう私も恥ずかしいことに、就寝直前まで仕事をしたり、寝しなに気になるメールを見てしまったりしてその後、朝まで眠れなくなった経験がある。それに、「日本人は睡眠偏差値が低い」というデータも確認した。

そこで、入眠を阻害するファクターを排除し、体温と脳という「眠りのスイッチ」を操作する必要が出てくるのだ。

なぜメジャーリーグは「体温」に注目するのか

睡眠医学は新しく、長い間注目されていなかったと述べた。

しかし、体温の重要性については睡眠よりも早く認知されていた。

睡眠研究に不可欠な幅広いデータを集めるため、私はメジャーリーグの球団幹部数人と面談したことがある。睡眠が選手のパフォーマンスに影響するという自説をもとに、良い睡眠をとるためのアイデアも用意していた。

ところが先方は「睡眠？　うちの選手たちは起きているときが勝負なんだ。関係ない」とけんもほろろ。門前払いに近いあしらわれ方をされることが多かった。

しかし、実際のデータを示しながら「睡眠と体温は非常に強く結びついている」「体温変化で睡眠の質を向上させ、好成績を残す」という話をすると、相手の態度は急変した。

トカゲなどの変温動物は文字どおり気温に合わせて体温が変化する。

人間は恒温動物で哺《ほ》乳《にゅう》類《るい》だから、体温はホメオスタシス（恒常性）でほぼ一定に保たれているが、同時にサーカディアンリズムの影響を受けており、体内時計によって日内変動（1日の中で変化）する。

「平熱は36℃です」という人でも、**1日の中で0・7℃くらいの変化がある。**日中は活発に動けるように高く、夜はゆっくり休めるように低くなるのが特徴だ。

だからこそ、体温とパフォーマンスは密接な関係がある。本書で何度か紹介している、タブレットの画面に丸い図形が出るたびにボタンを押す実験では、**体温が高いときはパフォーマンスがいいが、体温が低いときはエラーが多い**ことがわかっている。

おそらくメジャーリーグの関係者は、体温がいかに大切か、実感として知っていたのだろう。だから彼らは、体温の話を持ち出したとたん、食いついたのだ。

今では球団ばかりか軍関係の組織も、睡眠学者だというと、真剣に耳を貸してくれるようになった。

メジャーリーグとミリタリーに共通するのは、肉体が資本であると同時に、鋭敏な思考力が不可欠だということ。

軍人も、肉体だけ強ければいいわけではない。最先端テクノロジーを駆使するこの時代、明晰《めいせき》な頭脳であることが、命を落とすかどうかの分かれ目だ。

とはいえ戦下では理想の食事も休息も望めない。「規則正しく早寝早起き。たっぷり寝て、寝具も体にフィットしたものを」という願いは多くの場合、叶《かな》わないだろう。

良質な眠りは最高のパフォーマンスをもたらすだけでなく、ケガや事故の予防にもなる。一流アスリートでも軍人でも、ケガや事故は命取りだ。

24時間過酷な状況で体と頭を整えるには、睡眠をとるしかない。

ただし睡眠量は望めないから、質でしか対処できない。

日中のパフォーマンスには体温と睡眠が大切で、両者は密接に関係している。

だからこそ彼らは、「そういう話であれば、ぜひ聞きたい！」となるのだろう。

「会議室での遭難者」

「手が温かい子どもは眠くなる」これはまさに眠りと体温の関係を端的に表している。

前述したとおり、体温には皮膚温度と深部体温の2種類がある。

大事なポイントなので強調するが、入眠前の子どもの手足は温かくなり、皮膚温度を「上げて」いる。何が起きているのかといえば、**いったん皮膚温度を「上げ」、手足にたくさんある毛細血管から熱放散することで、効率的に深部体温を「下げて」いるのだ。**

なぜ深部体温を下げているのかといえば、それこそ眠りへの入り口だからである。

つまり、**眠っているときは深部体温は下がり、皮膚温度は逆に上がっている**――この事実を今一度押さえてほしい。

ここで場面を冬の山に移そう。

「深部体温が下がると眠くなる」という話を聞いて、映画の「雪山で遭難するシーン」をイメージしたかもしれない。「寝るな！　ここで寝たら死んでしまう！」というシーンだ。

では、このとき、体の中では、いったいどんなことが起きているのだろう？

極度の寒さの中、肺に冷たい空気が入り深部体温が急激に下がり始めると、入眠のスイッチが入ると同時に体はガタガタ震え出す。体温維持は生命維持とイコール。何とか体温を上げようと、筋肉を動かして熱産生を開始する。

あまりの寒さにそれでも体温が上がらないと、体は動きをやめる。筋肉を動かすためにエネルギーを消耗してしまい、大切な脳を動かす分のエネルギーがなくなってしまったら一大事だからだ。

手足が動かなくても死なないが、脳が働かなければ確実に命は絶えてしまう。

脳の中でも、生命維持に必要な自律神経（呼吸、心臓、体温維持など）を司《つかさど》る部分は動かし続け、命に直接かかわりのない部分（思考、消化活動、筋肉の動きなど）は停止してスリープモードになる。これが雪山で遭難すると「眠くなる」理由だ。

だが、**睡眠中は深部体温が下がる性質があるため、雪山で寝てしまうと通常よりさらに熱が奪われて低体温症になり、やがて死に至る**。

また、深部体温は奪われていくが、手袋やブーツで手足は手厚く保護されている。この保温効果によって手足が温められていることも、眠気に起因しているだろう。

冷房で冷え切った会議室に悩む人は、雪山で遭難しそうな人と似た状況下にある。

いくら寒くても、会議中に体を動かすわけにはいかない。すると筋肉の熱産生ができなくなり、深部体温がうまく上がらない。脳は生命維持を第一に考えて必要な部分以外をスイッチオフにし、スリープモードになる。つまり、寒い会議室のせいで体温が下がり、眠くなるのだ。

経験上、私が一番困るのは、「時差がある状態で臨む、寒い日本の会議室でのミーティング」。そういうときは居眠りできないように一番前の列の真ん中に座ることにしているが、ふと後ろを見ると、外国からの参加者はほぼ全員眠っていたりする。だが、会議に必要なのは「生命維持には直接関係ない部分」だったりするから、仕事生命のほうが危うくなる。

「春はぽかぽか暖かいから居眠りしてしまう」というが（この現象は春特有で、実は原因は特定されていない。ただ、**「秋から冬にかけては起こらない」**ことだけはわかっている）、冷え切った冬や「キンキンに冷えた会議室」も眠気の原因となるので要注意だ。

体温は「上げて・下げて・縮める」

日常生活においては、低体温症になるほどの冷房設備はまずないから、過度の心配はいらない。

だが、よくある睡眠本のように、「深部体温を下げれば眠くなる」というだけでは**正しい理解とはいえない**ことを強調したい。

覚醒《かくせい》時の深部体温は皮膚温度より2℃ほど高いが、睡眠時は深部体温が0・3℃ほど下がるため、差は2℃以下に縮まる。皮膚温度と深部体温の差が縮まったときに入眠しやすいという研究データは、1999年に『Nature』で発表されている。

前述したように、大切なのは**皮膚温度と深部体温の差を縮めること**。そのためにはまず、皮膚温度を上げ、熱放散して深部体温を下げなければならないのだ。

体温も「上げて（オン）／下げる（オフ）」のメリハリが大切だと覚えておこう。

①覚醒時は体温を上げてパフォーマンスを上げる（スイッチオン）。
②皮膚温度を上げて（オン）熱放散すると、深部体温は下がり（オフ）入眠する。
③黄金の90分中はしっかり体温を下げて（オフ）、眠りの質を上げる。
④朝が近づくにつれて体温が上昇し（オン）、覚醒していく。

このメリハリがあれば、最初の90分はぐっと深くなり、すっきりと目覚められる。日中の体温も上がり、眠気もなくパフォーマンスが上がる。

では、いかに体温のスイッチをオン／オフするか、具体的な方法を紹介していこう。

睡眠クオリティを上げる3つの「体温スイッチ」

体温スイッチ① 就寝90分前の入浴

入眠時に意図的に皮膚温度を上げて、深部体温を下げる。この「上げて、下げる」

というのが良質な眠りには欠かせない。

さらに、**深部体温のある作用を利用すれば、皮膚温度と深部体温の差をより縮めることができる。**

そんな**深部体温と皮膚温度をより縮める方法として紹介したいのが、「入浴」**だ。

皮膚温度は変化しやすい。冷たい水に手をつければ冷たくなるし、お湯につかったり、ストーブに近づいたりするとすぐに上がる。

だからといって41℃のお風呂に入ったら、皮膚温度や深部体温が41℃になるというわけではない。そんなことになったら病気になってしまう。

先ほど述べたとおり、人間の体は自律神経の働きでホメオスタシス（恒常性）が保たれているから、**入浴による皮膚温度の変化はせいぜい0・8〜1・2℃**程度だ。

体は、筋肉や脂肪といった遮熱作用のある組織で覆われており、なおかつ深部体温はホメオスタシスの影響下にあるので、そう簡単に変動しない。だが、**入浴はその深部体温をも動かす強力なスイッチ**といえる。

図10　深部体温は「上げ下げ」が鍵！

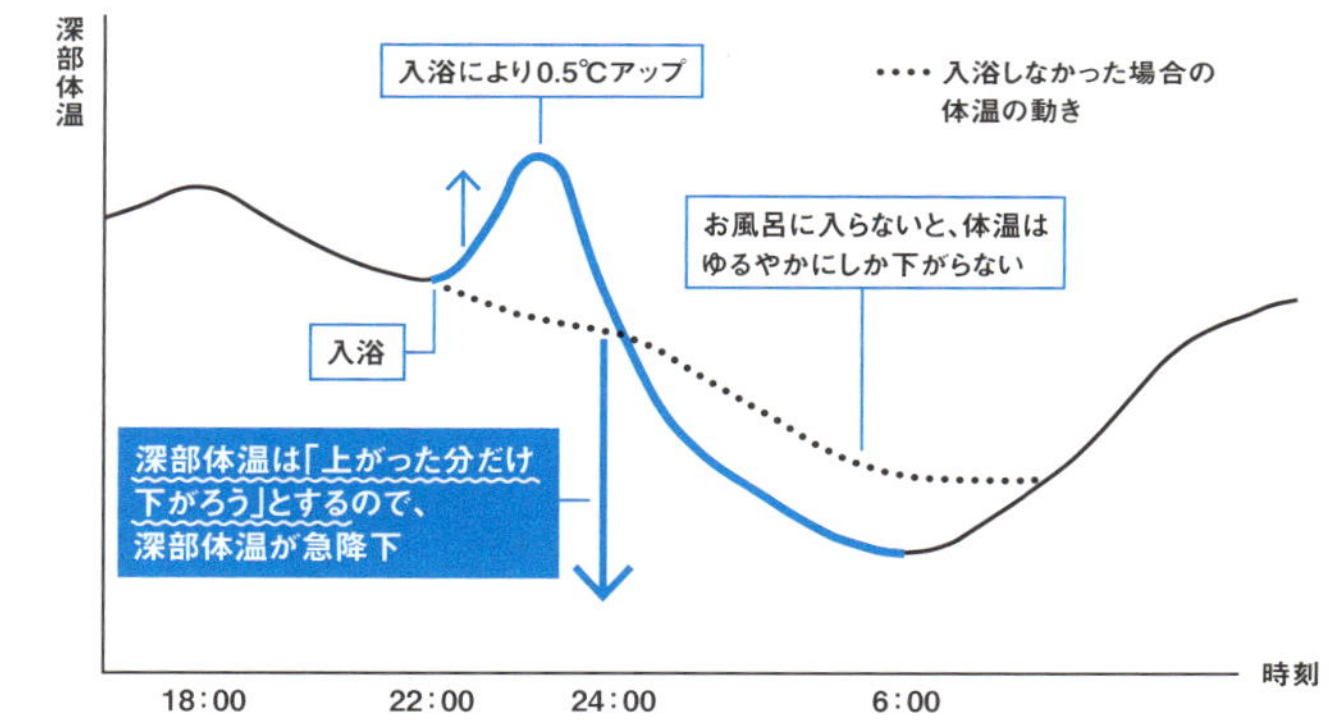

お風呂で体温を上げるのが「ぐっすり」の秘訣！

入眠前の軽い運動も体温上昇効果がある。ただ、過度な運動をすると交感神経が刺激されるので入眠には不向きだ。疲労や痛みを伴うことも考えられるので、「眠りのため」にはおすすめできない。

入浴に関する私たちの実験データでは、**40℃のお風呂に15分入ったあとで測定すると、深部体温もおよそ0・5℃上がっていた**。普段の深部体温が37℃なら、入浴後は37・5℃になる。

この「深部体温が一時的に上がる」というのが非常に重要で、**深部体温は上がった分だけ大きく下がろう**とする性質がある。なので、入浴で深部体温を意図的に上げれば入眠時に必要な「深部体温の下降」がより大きくなり、熟眠につながる。

0・5℃上がった深部体温が元に戻るまでの所要時間は90分。入浴前よりさらに下がっていくのはそれからだ。

つまり、**寝る90分前に入浴をすませておけば、その後さらに深部体温が下がっていき、皮膚温度との差も縮まり、スムーズに入眠できる**ということだ。

すぐ寝るときは「シャワー」がベスト

午前0時に寝たいなら、こんなタイムスケジュールになるだろう。

・22時00分　入浴。湯船に15分つかる。皮膚温度、深部体温ともにアップ。

・22時30分　入浴終了。皮膚温度は0・8〜1・2℃、深部体温は0・5℃上がっている。汗をかくなどして熱放散スタート。

・0時00分　熱放散により深部体温は元に戻り、さらに下がり始める。このタイミングでベッドに入った状態でいること。

・0時10分　入眠。皮膚温度と深部体温の差は2・0℃以内に縮まっている。

実際はこれほど厳密ではないが、目安としてはこんな具合だ。

体温は上がったら自然に下がるものだが、熱放散には扇風機なども効果的だ。夏の暑いときは、「お風呂上がりに扇風機に当たる」と言う人も多い。これはより熱放散を活発にし、上がりすぎた体温を本能が下げようとしているのだ。

逆にいえば、入浴後は熱放散のために夏も冬も発汗している。「寒い時期だから」とすぐに着替えて分厚いガウンなど着込んでしまうと、熱放散がうまくいかず、深部体温が下がらなくなる。

40℃未満のぬるいお風呂に15分より短い時間入った場合は、深部体温は0・5℃も上がらないし、元に戻るまで90分もかからない。

ゆえに**「忙しくて、寝る90分前に入浴をすませるなんて無理だ！」と言う人は、深部体温が上がりすぎないように、ぬるい入浴かシャワーですませよう。**

○○風呂ならさらに効果アップ!?

今、紹介した入浴と体温のデータは、スタンフォードと秋田大学が協力しておこなった実験によるものだ。

40℃のお風呂に15分入ると深部体温が0・5℃上がるというのは普通のお湯によるデータだが、秋田には良質の温泉がたくさんある。

そこで、SCNラボOB・OGの秋田大学の神林崇氏、上村佐知子氏らとの共同研究で、温泉と普通のお風呂の比較をすることにした。炭酸泉、ナトリウム泉、普通のお風呂それぞれの体温の変化を調べたのだ。通常、炭酸泉は温度が低いが、比較のために40℃とした。

すると、炭酸泉やナトリウム泉といった**温泉浴のほうが普通浴よりも深部体温が大きく上がった**。熱放散後の深部体温も、温泉浴のほうが普通浴より大きく下がることもわかった。

さらには睡眠第1周期のノンレム睡眠の振幅も大きくなった——最強の「90分の黄金のノンレム睡眠」が現れたのだ。

この結果から、睡眠のスイッチとしては**深部体温を大きく上げて下げられる「温泉」のほうが強力**といえる。

ただし、ナトリウム泉は入浴後の疲労感が強い。いわゆる「湯疲れ」や「のぼせ」が起こってしまうのだ。「湯疲れ」には複数の原因があるが、「発汗による水分ミネラルの流出」「入浴前後の血流量変化」などで生じる。

その点、**炭酸泉は、普通浴と同じように湯疲れがない**。温泉のメリットが大きいうえにデメリットが少ないのであれば、湯治などで長期滞在する人、ケガの後のスポーツ選手、疲れを癒《いや》しに温泉に行く人は、炭酸泉をチョイスするのもいい。

理論的には市販の炭酸入浴剤でも同じ効果があるはずだが、炭酸濃度や成分が天然炭酸温泉と同じかどうかは微妙なところだ。良いものもあるし、悪いものもある。

余談かもしれないが、入浴剤に限らず、科学的だと謳《うた》う商品に対する選択眼を鍛えてほしい。

たとえ話ではあるが、「マウスにこの成分を体重の10分の1（約3グラム）与えたら、60％のマウスは痩《や》せた」という実験データをもとに、その成分がわずか1グラム（ヒトの場合、体重の10分の1なら数キロ必要）も入っていない商品が「科学的エビデンスに基づくダイエットサプリ！」として、販売されていることもあるのだから。

体温スイッチ② 足湯に秘められた驚異の「熱放散力」

「時間がないならお風呂よりシャワー」と書いたが、**シャワーよりも効果的な即効スイッチがある。それは「足湯」**。

風呂上がりに暑くてたまらないときは、体幹も汗をかき、熱放散している。北欧ではサウナに入ったあと、雪が積もった戸外に裸で飛び出していくが、深部体温が大きく上昇していて、熱放散しているときでも基礎値より体温が高いから平気なのだろう。

だが、熱放散の主役は体幹ではない。

熱放散を主導しているのは、表面積が大きくて毛細血管が発達している手足。

なので、**「足湯」で足の血行を良くして熱放散を促せば、入浴と同等の効果がある**

のだ。

入浴は物理的に時間がかかるが、足湯ならさほどでもない。入浴はおもに「深部体温を上げるアプローチ」。体温が大きく上がって大きく下がる分、時間がかかる。その点、**足湯はおもに「熱放散のアプローチ」**。体温の上昇は大きくないが、その分深部体温を下げるのに貢献してくれる。

寝る直前でもオーケーという点からも、足湯は多忙なビジネスパーソン向けだ。

足湯の目的は「足の血行を良くして、熱放散を活発にすること」だから、マッサージでも同等の効果は期待できる。ただし、自分で足をマッサージすると体に力が入ってリラックスできなかったり、やり方を工夫して脳が疲れたりと、睡眠には向かない。

家族が寝る前に足のマッサージをしてくれるというケースも、ゼロではないだろうがレアだと思う。

やはり、風呂桶《おけ》ひとつでできる足湯が現実的なチョイスといえそうだ。シャワーで重点的に温めるなどやり方はいろいろあると思うので、ぜひ工夫して寝る前に足も温めてほしい。

靴下を履くと眠気が逃げる？

「足が冷たくて眠れない」と言う人は多い。とくに女性に多いようで、「寝るときも靴下を履いています」という話をよく聞く。

冷え性の原因はいろいろで、「血管が細い」という遺伝の影響もある。たばこも血管を細くするから、ヘビースモーカーはたいてい冷え性だ。

いずれにしろ手足などの末梢《まっしょう》血管が収縮しており、熱放散が起こらない。だから靴下で足を温めて末梢血管を広げ、血行を良くするのは理にかなっている。

「靴下を履いて足を温める→靴下を脱いで熱放散し、深部体温を下げる→入眠」

このようなプロセスが理想だ。

だが、冷え性で悩んでいて「靴下を履いても足は冷たいまま」と言う人は多い。なかなか寝つけず、結局は履いたまま入眠したり、「重ね履き」したりすると聞くが、**靴下を履いたまま寝てしまうと、足からの熱放散が妨げられてしまう**。

足から熱が逃げない状況は「深部体温が下がりにくい」ことを意味し、「眠りの質の悪化」にダイレクトにつながる。一時的な着用にとどめるか、よほどの冷え性でもない限りは避けたほうが眠りのためだろう。**脱がない靴下は、眠りの助けにならない**。運動やマッサージなどで、日ごろから手足の血流を良くすることが必要だ。

電気毛布や湯たんぽを使う方法もあるが、**ずっと温めていたら今度は熱がたまる「うつ熱」現象が発生し、熱放散が起きなくなる**。もし使うのであれば、寝る前だけにしよう。温まって血行が良くなったところで外して眠れば、熱放散が促進される。

ほかにも「寒くてたまらないなら太い血管を温めよう」と、ネックウォーマーで首を温めたり、足の付け根を使い捨てカイロなどで温かくしたりする人もいる。たしかに首や鼠蹊《そけい》部には太い動脈が通っており、発熱時や熱中症のときに素早く体温を下げるには、首や足の付け根を冷やしたほうがいい。だが、生理的な熱放散がおもに起こるのは、あくまでも、表面積が大きく毛細血管が発達している手足だ。

結局のところ冷え性の人に一番いいのは、抜本的な体質改善。運動不足を解消して血流量を増やす、たばこをやめるといった生活習慣の改善だ。それは長期的な取り組みとなるから、まずは入浴や足湯で血流量を増やそう。

体温スイッチ③ 体温効果を上げる「室温コンディショニング」

眠りというと寝具の話になり、どんなものがいいかという相談をよく受ける。**掛け布団より敷布団のほうが材質による違いは大きい**。SCNラボOBの千葉伸太郎氏（現、慈恵医科大学）と私が調べたところ、沈み込むマットレスと、高反発のマットレスでは熱放散が大きく違ってくるので、**入眠前半の深部体温が0・3℃も違う（高反発のほうが低い）**というデータもある。

だが、どんなにいい寝具でも、**室温を整えておかないとメリットを引き出せない**。日本は局所だけを温める文化だから、真冬でも部屋は寒い。「寒い部屋にコタツだけ」あるいは「分厚い布団でエアコンなし」というのも珍しくないが、体温のスイッチとして効果的なのは快適な室温だ。

たとえば、室温が高すぎると、必要以上に汗をかく。入眠後は自然と体温が下がる。そのうえ、発汗による過剰な熱放散があると、体温が下がりすぎて風邪をひいてしまう。

これが、夏風邪の原因のひとつだ。

また、温度が高いと湿度も高い場合が多い。**湿度が高すぎると発汗しなくなり、手足からの熱放散を妨げられ、眠りが阻害される。**「うつ熱」が起きるのだ。夏に眠れなかったり、高齢者などが入眠中に熱中症になるのはこのためだ。

水分補給と吸湿性の良い寝間着や寝具が対策としてよくすすめられているが、**うつ熱に関しては「室温」「湿度」による影響のほうが強い。**

逆に室温が低すぎると血行が悪くなり、熱放散も起こらず眠れないだろう。

睡眠に悩んでいるなら、意識を切り替えて室温も整えてほしい。今はエネルギーを抑え、環境に配慮したエアコンもたくさん出ている。

適温は個人差が激しいので、厳密に「○℃が良い」とはいえないのだが、冷房をつけたままで眠り、体温が下がりすぎて風邪をひくのも、**「お休みモード」**といったタイマー設定で解決するだろう。

体温は外気温にすぐには反応しないので、睡眠ステージごとに室温を調整する必要はないと思われる。しかし、眠りのステージに応じて室温がコントロールできれば快眠を促す可能性も高く、実際そういった機器も開発されている真っ最中だ。

「そば殻枕」で頭を冷やせ！

脳の温度は深部体温の動きとてても似ており、入眠時にはやはり低くなる。ただし、深部体温の変化はノンレム睡眠・レム睡眠中でわずか。

睡眠中、体温は全般的に下がったままなのに対して、**脳の温度はレム睡眠のときに少し高くなる。**「夢見る」レム睡眠時に脳は起きていて、脳血流量も増加するからだ。

とはいえ、睡眠中には脳を休めなければならず、**休めるには温度を下げたほうがいい。**アメリカで不眠症治療に取り組んでいる研究者のなかには、頭のクーリングデバイス（冷却装置）を考案している人もいるが、なかなか手ごろなものが手に入らないのが現状だ。

通気性がいいと温度は下がるので、その意味では日本の**「そば殻枕」も有効**だと思われる。アレルギー問題などもあるが、今は技術の発達で、そば殻と構造が同じプラスチックビーズも開発されている。

ちなみに**枕の高さについては、気道を確保することを考えると低いほうがいい**。ただし体型はみな違うし、首のカーブも違う。

さらに眠りには好みが大きく関係するから、個人差が大きい。残念ながら枕《まくら》についての絶対解はないというのが私の見解だ。

入眠をパターン化する「脳のスイッチ」

枕が変わったネズミは眠れない？

体温が理想どおりに変動しても、それだけでは眠れない。悩み事があったり、寝る直前まで仕事をしていたり、ゲームやスマホで脳が興奮したりすれば、なかなか眠りは訪れないし、睡眠の質も確保できない。不眠症は脳の影響も大きいのだ。

慢性の不眠症にかかるのは人間だけだが、環境の変化による一過性（短期的）の不眠は動物にも起きる。

ラットやマウスを住み慣れたゲージから取り出し、新しいゲージに入れたところ、眠りにくくなるという実験データもあり、我々も「一過性ストレス性不眠」という不眠の研究をする際、この実験法を用いている。

中央に仕切りがあるゲージを作り、片側にラット、片側にマウスをそれぞれ一匹ずつ入れ、彼らの行動や睡眠の変化を観察している研究者もいる。仕切りの柵越しにお互いの姿も見えるし、匂《にお》いもする。「新しいシェアハウス」だ。

実験動物として用いられるラットとマウスは、日本語だとどちらも「ネズミ」だが、ドブネズミにルーツをもつラットと、ハツカネズミにルーツをもつマウスは体格がかなり違う。10倍近く体重が重くて大きなラットのすぐそばに置かれたマウスは、不安とストレスで不眠症になるのだ。

マウスの不眠症にも、市販されている睡眠薬は効果を発揮する。しかし、このような異種の動物を用いた実験は、「動物飼育規定」や「動物実験倫理規程」で問題になることが多い。人間でも、ルームメイトが自分の体重の10倍もあれば、おちおちできないだろう。

最近では、「あるマウスの飼育に2週間ほど使用したゲージに新しいマウスを入れると、不眠が誘発される」ことがわかっており、これも一過性の不眠症である。

人間世界で再現するなら、「掃除が行き届いていない、汗臭い安宿に泊まって、すぐには寝つけない」状況にあなたが置かれるようなものだ。つまり、**環境が変わると脳が反応して、人は不眠症になる可能性がある**ことがわかる。

旅先で眠れなかったという経験が、あなたにもあると思うが、これは**環境の変化が脳に刺激を与えて、脳が「安宿のマウス」状態になり、入眠が妨げられている**ことにほかならない。

500ミリグラム程度の脳しかもたないマウスでさえこれほど反応するのだから、はるかに脳が発達している人間が、環境の変化やわずかな刺激で眠れなくなるのも無理はない。好奇心旺盛《おうせい》な人でも、**眠りにつく前の脳はチャレンジを好まない**のだ。

逆にいうと、いかに「いつもどおり」を保つかが、脳のスイッチを睡眠モードにするうえでヒントとなる。

「眠りの天才」は頭を使わない

飛行機の預け入れ荷物に、「フラジール」というシールを貼られることがある。「脆《ぜい》性《せい》」という言葉だが、簡単にいうなら「壊れもの注意」だ。

睡眠も外的な状況に非常に影響を受けやすいので「フラジール」といわれる。

私たちは寒くても暑くても眠れない。うるさくてもだめ、静かすぎてもだめ、「明るいとイヤ」な人もいれば、「暗いと眠れない」と言う人もいる。

そこで「眠る環境」が大切になってくるが、どんなに良い環境でも、脳が働いていたら眠れない。


脳は睡眠の大切なスイッチだ。脳を休息状態に持っていかなければならない。

そのためにどうすればいいかは研究が始まったばかりで、科学ではまだ解明されていないこともたくさんある。

たとえば「光」。よく、「スマホやパソコンの画面から放たれるブルーライトは睡眠に悪い」といわれているが、**ブルーライトの影響を睡眠に及ぼそうと思えば、かなり画面に顔を近づけてジッと見続ける、ぐらいのことをしないといけない**。

スマホやパソコンが睡眠に影響を与えるのは、ブルーライトというよりも、操作で脳を刺激してしまうことにあるといえる。

基本は、寝る前は何も考えないこと。いってみれば「眠りの天才は頭を使わない」のだ。いつもの環境で頭を使わない、そんな脳のスイッチを紹介していこう。

脳のスイッチ①「モノトナス」の法則

だからといって「何も考えるな」と言われても難しい。そこでちょっと角度を変えてアプローチしてみよう。

ハイウエーで運転中に眠くなる原因のひとつは、風景が変わらないことだ。単調な状況だと頭を使わないから、脳は考えることをやめ、退屈して眠くなる。**モノトナス（単調な状態）にすることは、眠るための脳のスイッチ**である。

できる限りの「モノトナス」を意識しよう。寝る前の娯楽は、頭を使わずにリラックスして楽しめるものがいい。犯人が知りたくて夢中になるミステリーよりも退屈な本。私ならアクション映画より落語が睡眠には向いている（モノトナスな映画は興行にならない）。動画は気になると見入ってしまう。

「退屈」は普段はあまり歓迎されないが、睡眠にとっては「良き友」である。退屈さによって脳のスイッチがオフになり、深い眠りがやってくるのだから。

「脳の関所」はこう突破せよ！

「いつものパターン」を好む脳の性質を利用すれば、**「睡眠のルーティン」**も役に立つ。常に結果を残すアスリートが試合前にいつも同じ下着をはき、いつも同じものを食べ、いつも同じポーズをとるのと似ている。

アスリートの場合はこうして「よけいなことを考えずに、試合に集中する」。眠る人の場合は「無駄なことを考えず、考えないままスイッチオフで眠る」。

いつもどおりのベッドで、いつもどおりの時間に、いつもどおりのパジャマを着て、いつもどおりの照明と室温で寝る。入眠前に音楽を聴くならいつも同じ単調な曲。

不眠症の認知行動療法でよくいわれるのは、「眠れなかったらベッドから離れる」というもの。ベッドは眠るための場所で、本を読んだりテレビを見るためのものではないという正しい条件づけを脳にしてやるのだ。

これは効果がある治療法だが、不眠症までいかず、すでにベッドでの読書やテレビが習慣になっている人は、「いつものパターン」ということで、必ずしもやめなくてもいいと思う。

ただし、テレビも本も刺激が少なく退屈なものにしておこう。その意味で、**スマホは危険**だ。ゲームも検索もできるし、メールもチェックできてしまう。交感神経活動を上げるようなものは、極力排除しよう。眠れているようでも、90分の質は悪い。

脳のスイッチ② 正しい羊の数え方

睡眠ルーティンとして古くからある方法が、「羊を数える」というものだ。

しかし、日本語で**「羊を100匹数えると眠くなる」というのは間違っている**。アナウンサーなどの訓練を受けていない限り、「ヒツジガイッピキ、ヒツジガニヒキ」と、すらすらつぶやけないだろう。私の専門外だが、「ヒツジ」はさほど発音しやすい言葉ではないと感じる。

この睡眠ルーティンはもともと英語で、アメリカ人やイギリス人の羊の数え方は、

「sheep, sheep, sheep……」。

諸説あるが、sleepと発音が似ているからだとか、「シープ」というのが言いやすく、息をひそめるような響きなので、眠りを誘う効果があるからなどといわれている。

英語が得意でない人でも「ヒツジガイッピキ」より「シープ」のほうが言いやすい。昔から伝わることでも、「なぜ、それが効果的か」の根拠の部分をきちんと知れば、意味がないことがたくさんあるとわかるだろう。

逆スイッチ「貧乏揺すり」をすると眠れない？

電車に乗っているときに眠くなるのは、リズムのある揺れが眠気やリラックスを促すためだといわれている。

これは、電車の動きは**「1／fゆらぎ」**だからだという研究者もいる。赤ん坊が気持ち良さそうに眠る、「ゆりかごの揺れ」もそうだ。

「1／fゆらぎ」には、「予測できない空間的変化、時間的変化、動きをもつ」という特徴があり、「規則正しい音」と「ランダムで規則性がない音」との中間の音を指す。人を心地よくし、ヒーリング効果があるとよくいわれているので、名前を聞いたことがあるかもしれない。

心拍や呼吸、α《アルファ》波やノンレム睡眠時の脳波も、実は1／fのゆらぎを示す。**私たちの体のリズムの多くは、もともと「1／fゆらぎ」をもっている**のだ。

「貧乏揺すりで電車の揺れを再現したら眠気は訪れるか？」という質問を受けたことがあるが、それはなかなか難しい。**仮に貧乏揺すりで「1／fゆらぎ」となるほど完璧に電車の揺れが再現できても、眠りのスイッチとはならない**。

なぜなら、自分で「貧乏揺すり」のようなリズムのある揺れをつくり出すとき、脳はリズムをつくろうとしてフル活動しているからだ。これはモノトナスに反する。

一生懸命、ダンスの振り付けをコピーしているとき、「右手を突き出して足を上げる」などと脳は筋肉に指令を出し、リズムやメロディーをキャッチし、次の段取りを考えている。自分で貧乏揺すりをするのはこれと同じことだ。アクティブモードで興奮しているとき、脳は眠ろうとしない。眠りに不向きな状態といえる。

単なるリズムのある揺れでは眠りはやってこない。**パッシブな状況が不可欠である。**受け身になってリズムに身をまかせてこそ、入眠モードになるのだ。

「受け身が大事」と考えれば、**寝る前の運動は考えもの**だ。たとえば「ストレッチ」は質の良い睡眠を連れてきてくれそうだが、あまり真剣にやりすぎると脳が能動的に活動する。眠りを遠ざける要因になるので気をつけよう。

脳にも「寝たくない」ときがある？

そもそも、なぜ、人は眠くなるのか

なぜ、脳は「眠る」という休息法を選んだのだろう。

実はここに、**脳のスイッチをさらにうまく切るヒント**が隠されている。

睡眠医学の歴史は、今日まで興味深い歩みを続けてきた。

睡眠を医学的にとらえたのは、古くはヒポクラテスを代表とする古代ギリシャにまでさかのぼる。そこから東洋医学の「陰陽説」などでも睡眠が論じられ、中世ヨーロッパでは宗教的な解釈が加わることが目立った。

しかし、19世紀のヨーロッパではしだいに「脳における疲労物質の存在」などの学説が提唱され、睡眠を科学的に検証しようとする動きが目立ち始める。

「睡眠物質」の存在が提唱され、**「寝ないと睡眠物質が蓄積して眠くなる」**とされると、日本でもヨーロッパでも、それを探そうとさまざまな研究がおこなわれた。

「寝ている動物の血液や脳脊髄《せきずい》液をとって、違う動物に入れたらどうなるか？」

「2匹の動物の血管を互いに結合すると、2匹同時に眠る確率は高くなるのか？」

という極端な実験もあったほどだ。

現在、睡眠は神経科学の研究対象となっており、完全とまではいかないものの、かなり解明が進んでいる。スタンフォードでの私たちの「ナルコレプシーの病態解明」のように、睡眠障害のメカニズムも明らかになりつつある。

睡眠や覚醒にかかわる「神経細胞」や「神経伝達物質」の特定も進んでいる。

たとえば**「アデノシン」**という物質。**「抑制の働き」をもつ神経伝達物質**で、DNAの基本構成成分なので、太古の生物・アメーバなどの「真核生物」にも存在する。

これは、睡眠の起源は非常に古い可能性があることを意味していて、植物が眠っていても何ら不思議ではない。

「カフェインが眠気覚ましになる」というのは、**カフェインが人を眠らせるアデノシンの働きを妨害する**ためである。強力な覚醒作用のあるカフェインは、コーヒーやココア豆などの植物由来で、動物の体内ではつくられない。

また、強力に覚醒を引き起こす**「オレキシン」**という神経伝達物質は、覚醒だけでなく摂食（食べること）にも関与している。「オレキシン」という名は、ギリシャ語で「食欲」を意味する「オレキシア」から命名されている。

このオレキシンが発見された翌年、オレキシンが欠乏することでナルコレプシーが引き起こされることを私たちの研究グループが突き止めた。簡単にいえば、彼らは「突然眠ってしまう」のではなく、「通常の覚醒が維持できない」のだ。

人は連続して16時間程度起きていられる。その間、「オレキシン」などの覚醒物質は活動を続けるが、眠りたい欲求である「睡眠圧」も上昇する。サーカディアンリズムの影響を受けて覚醒物質の活動が弱まってくると、「睡眠圧の上昇」が「覚醒物質の活動」を上回ることになる。

この**「睡眠圧の上昇」が「覚醒物質の活動」を逆転する状態こそ、眠気が増してくるときに脳内で起こっている現象**である。

スタンフォードの睡眠実験「1日がもし90分だったら?」

睡眠研究はまだまだ「これから」という分野で、神経活動や神経伝達物質だけでは入眠の説明はつかないが、これに関連してスタンフォードがおこなった「眠気と脳」についての実験を紹介しておこう。

睡眠の計測・実験は時間がかかると述べた。睡眠は通常、1日に1回。睡眠パターンの記録データを蓄積するには、何日も必要だ。しかも、これらの記録は人が眠っている夜中におこなわれる。

たとえばナルコレプシーには、眠りに関して2つの異常がみられる。

1つは入眠潜時（眠るまでの時間）が極端に短いこと。もう1つは、通常眠ってから90分後に出るレム睡眠が、入眠してすぐに出てしまうこと。


これらをもっと効率よく観察できないだろうか？

そこでスタンフォードでは、1980年にある工夫をした。ナルコレプシー患者のデータ蓄積と、「1日のうち、寝る時間帯によってレム睡眠の出方は変わるのか？」を同時に調べるために、1日を90分に見立てた実験をしたのだ。この試みは**「A 90 minute day」**実験と呼ばれている。


まずは1日を90分と考える。

24時間は1440分（24時間×60分）。

1日が90分という設定なら、理論上は24時間で16日分、1日で2週間分以上のデータがとれることになる（1440分÷90分＝16日）。

この方法は、通常の「1日1回」限りのデータ採取に比べて非常に効率的で、実験費用や被験者の拘束時間などの負担も軽減できる。もっとも大事なのは、24時間にわたり「異なる就寝時間のデータ」を採取できるので、眠気やレム睡眠の日内変動のシミュレーション（1日のうち、時間帯によって睡眠は変わるのか）ができることだ。

1日90分のうち、「60分が覚醒時で30分が睡眠」と設定し、次のような観察をした。

30分とってある睡眠すべき時間のうち、何分で入眠するか？
眠気はいつ起こり、どう変化するか？
夜の90分と昼の90分だと、眠気に違いはあるか？

実験スタートはまず「起きている時間」とし、被験者は60分間、本を読んだり、運動したりする。その間は脳波電極をつけてもらい、眼球運動や筋電図も記録する。

60分後、「さあ、寝る時間です。ベッドに入って横になってください」と消灯する。眠ることができれば寝てもらい、30分間の「睡眠の時間」でも同じように、脳波など

図11　スタンフォード「A 90 minute day」実験

概要

・1日を90分と見立てて、24時間で16日分の睡眠データをとる実験。
設定……1日を90分とする（60分間が覚醒、30分間が睡眠）
被験者はナルコレプシー患者と健常人

実験モデル

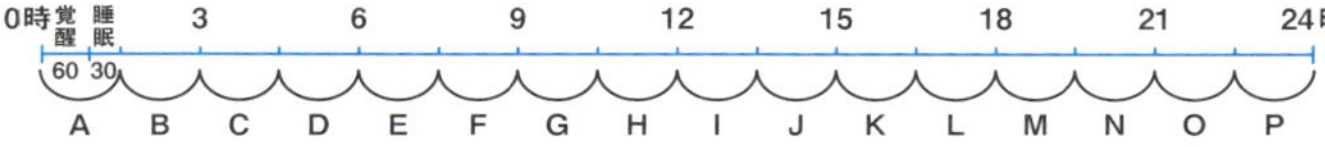

「A 90 minute day」実験でわかること（目的）

・ナルコレプシー患者のレム睡眠の質（ナルコレプシーの場合、入眠潜時がきわめて短く、かつ入眠後すぐレム睡眠が訪れるため測定可能）
・効率のいいデータ蓄積（1日でA～Pの16日分のデータがとれる）
・A ～ Pにおいて、時間帯の違いによって睡眠の質（寝にくさ、入眠潜時など）に変化が見られるかどうか（一般の人への応用目的）

を測定する。90分後、被験者を起こす。これで「覚醒60分＋睡眠30分」の1日（90分）が完成する。

ナルコレプシー患者の場合、どの時間帯においても入眠潜時が短く、レム睡眠が入眠後すぐに出てきてしまうことがわかった。

このあたりは予想された結果だが、重要なのは、**健康な人であっても昼間（図のI～J）にも強い眠気やレム睡眠の異常を検知できたことだった。**

なぜなら、これによって覚醒時であっても午後になると眠気が出てくることが、目に見える形でとらえることができたからだ。これらの結果は、後にスタンフォードが開発した、昼間の眠気を客観的に測定する検査「ＭＳＬＴ（反復入眠潜時試験）」につながる。

「寝る直前」は眠くない？

「A 90 minute day」以外にも、イスラエルの睡眠研究家ペレッツ・レビー氏による、さらに細かく時間を区切った「13分起きて7分寝る」という、**「A 20 minute day」**もおこなわれるようになったのだが、ここで予想外のことがわかった。

人は普通、ずっと起きていると「睡眠圧」が上がる。つまり、起きていればいるほど眠くなるのだ。そう考えると、「眠る直前」が一番睡眠圧が高い、つまり「入眠直前が一番眠い」はずだ。

しかしこの実験では、**通常就寝する時間の直前から2時間前あたりまでがもっとも眠りにくい**ことがわかった。いつもの就寝時間より前の6ブロック（20分×6）、被験者は眠りづらそうにしていたのだ。

これを実際の睡眠に当てはめれば、**毎日必ず午前0時に眠る人は、22時からの2時間は一番眠りにくい**ことになる。

このように、**入眠の直前には脳が眠りを拒否する「フォビドンゾーン（進入禁止域Forbidden Zone）」というものがある。**いわば**「睡眠禁止ゾーン」**だ。

「フォビドンゾーン」はレビー氏が1986年に提唱した理論で、なぜこういった現象が起こるのか、いまだ解明されていないが、現象はほかの研究者も確認している。

考えられる仮説としては、睡眠圧が上がっていく変化の過程で、それに対抗して増加する覚醒を維持するシステムがあるのではないかということ。

なぜなら、このシステムがないと、脳は「眠気をこらえる」ことができないからだ。睡眠圧に対抗するものがないと、16時間も覚醒を維持できることが説明できない。

睡眠圧に対抗するシステムは、入眠直前に最高に強くなり、その後急速に活動が弱まって脳が睡眠モードになることが予想される。この「睡眠圧に抗《あらが》う」物質としては、やはりオレキシンが筆頭候補にあがっていて、少数の被験者での実験にはなるが、**オ**

レキシンが欠乏しているナルコレプシー患者では「フォビドンゾーン」が認められないという報告もあり、興味深い。

「明日早い！」ときの秘策はこれ！

この実験から、**脳のスイッチを早く切ろうとすると眠りづらくなる**ことがわかる。

「今日は1時間早く寝よう」というのは、よくあることだ。「明日は朝早く出かける」「出張だ」というときは早めに寝たい。また、「積み残した仕事を早起きしてやりたい」ときもあるだろう。

だが、「1時間早く寝る」というのは睡眠禁止ゾーンへの侵入だから、かなり難しい。逆に、フォビドンゾーン現象を理解しているのであれば、**「いつもどおり寝て、睡眠時間を1時間削る」**ほうが、すんなり眠れて質が確保できる可能性が高い。

時間を固定した睡眠パターンは有効だが、睡眠禁止ゾーンの影響もあって、前にずらすのには時間がかかる。

「後ろにずらすのは簡単、前にずらすのは困難」、これが睡眠の性格なのだ。

1日で楽にずらせる時間は1時間。これは時差ぼけの順応と一緒で、8時間の時差であれば8日かかるわけだから、睡眠パターンを変えたいなら1日では難しい。

それに、就寝時間を前倒しするなら1時間程度が限度だと思われるが、残念なことにその1時間前には「睡眠禁止ゾーン」が立ちはだかる。

その意味でも「明日は早い！」と突然判明した日は、無理せずいつもどおりの時間に寝る——質を確保する——ほうがいいだろう。

それでも、という方は、**1時間早めに寝たいなら、いつもより1時間早くお風呂に入って、ストレッチなど軽い運動を組み合わせて体温を作為的に上げる**ことをおすすめする。

「眠りの定時」を厳守しよう！

戦略を練らないと「早寝早起き」は難しい。**就寝時間の前倒しは困難**なのだ。

睡眠禁止ゾーンのほかにも、「就寝時間の前倒し」を妨げる要素はたくさんある。「仕事が長引いた」「飲み会があった」など、何かしら突発的なことが起きるからだ。

眠りの世界では、スケジューリングがものをいう。

睡眠の質を確保したいなら、まずは起床時間を固定しよう。

たとえ睡眠時間が足りなくても、無理やりであっても、まず起きる時間を決めることで就寝時間をセットする。人は14~16時間ほど覚醒が続けば睡眠圧が高まり、自然と眠くなってくることを考慮して組み立てよう。

こうして睡眠のパターンができたら、次は寝る時間の固定。毎日は無理でも、ベーシックな寝る時間を定時にするのだ。「入眠潜時」ならぬ**「入眠定時」**である。

定時である以上、仮に翌朝早くても、早寝はしない。いつもどおりの時間に寝るのを心がける。

それが「睡眠禁止ゾーン」への侵入を防ぎ、結果的に睡眠の質を上げていくはずだ。

入眠定時が脳にセットされることで、黄金の90分もパターン化されるだろう。

光は「見方」しだいで毒にも薬にもなる

先ほど言及した「ブルーライト」についても、脳との関連をここで掘り下げておきたい。

眠りを促すホルモンとしてよく知られている**メラトニンは、朝の光によって分泌が抑えられ（覚醒）、夜になると分泌が促される。**

逆にいうと、夜にコンビニエンスストアなどで強い光を長時間浴びると、メラトニンの分泌が阻害され、睡眠や体内リズムの変調をきたす。

これまでは「強い光」という曖昧《あいまい》な表現を使わざるをえなかったのだが、**網膜で470ナノメーターという単位の波長を感知すると、覚醒度を上げたり、パフォーマンスが上がる**ことが最近の研究によりわかっている。

同時にこの波長の光は、メラトニンの分泌を抑えるので、眠りのスイッチの妨げとなる。この光こそ、いわゆる「ブルーライト」だ。

ブルーライトは網膜に良くないといわれるが、ネガティブな側面とは反対に、覚醒やパフォーマンス向上に貢献する役割があるなど、いろいろな生理機能にポジティブな影響を与える可能性が注目されている。

実際、ナイトゲームでブルーライトを照射し、覚醒度やパフォーマンスを上げ、さらにケガ防止の目的で夜間照明を工夫しているメジャーリーグの球団もある。

スタンフォードにも、夜になったらブルーライトを落とすPCプログラムを自分で作成している学生がいたが、各メーカーもそうしたものを作っているようだ。

私の個人的な意見では、先ほども申し上げたとおり照度の低いブルーライトに神経質になる必要はないが、知識としてデメリットがあることは押さえておいてほしい。

少なくとも、**寝る前はブルーライトの影響力を強める行為（真っ暗な部屋でスマホを長時間見る、など）は避ける**のが賢明だろう。

最高のパフォーマンスをつくる「覚醒のスイッチ」

脳と眠気の関係についてみてきたが、「なんだか眠たい」という感覚は、貴重なものだ。体温、脳、ホルモン、自律神経の働きが連動して起こるものである。

ゆえに、理想をいえば眠いときには寝るのがいい。とくに夜は「眠い」と思ったら寝てしまう、これも強力な睡眠スイッチである。

逆にどうしても眠気と闘わなければいけない場合の対策は、5章で述べよう。

まだまだ謎《なぞ》の多い「睡眠」だが、実際、睡眠よりも覚醒についてのほうが、解明されていることがたくさんある。

たとえば、眠っているときには分泌が少ない「ステロイド」は活動系のホルモンで、免疫を抑制する働きがある。そのため、免疫が活動する夜は静かにしているが、朝が近づくにつれて分泌量が増えてくる。

ノルアドレナリン、ヒスタミン、ドーパミンも覚醒時に働く脳内化学物質だ。

これらがしっかり働いて覚醒度が上がると、日中のパフォーマンスは高くなり、結果として最高の睡眠にたどり着く。

ホルモンについての詳細はとてもページ数が足りないので本書では割愛するが、これら「覚醒のスイッチ」をオンにして、日中のハイパフォーマンスを導ければ、「質の良い睡眠」がやってくる。なぜなら、**覚醒と睡眠は表裏一体**で、**「良い覚醒が良い睡眠を導く」「良い睡眠が良い覚醒をもたらす」**はどちらも確かだからだ。

ここまでは「最高の睡眠」のとり方と、「良い睡眠が覚醒にどのような影響を与えるか」を中心に見てきたが、では「良い覚醒が良い睡眠をもたらす」とはどういうことだろう？

たとえば、**「食事」**。食べ方ひとつとっても睡眠の質に大きく影響する。それほど、「日中どう過ごしているのか」は、眠りにとって重要なのだ。

「覚醒が睡眠に対してもっている力」、そして、ぐっすり眠るために「朝起きてから夜寝るまで」どんな行動をすればいいのか、次の章では探っていくことにしよう。

4

超究極！熟眠をもたらすスタンフォード覚醒戦略

「どう起きているか」でぐっすりか否かが決まる

睡眠と覚醒は表裏一体である

私は睡眠の専門家であると同時に、**覚醒の専門家**でもあると自負している。

たとえば、私の専門であるナルコレプシーという睡眠障害の対策は「突然の眠気を抑える」ことではない。大切なのは**「覚醒のスイッチ」**を押すことだ。

いってみれば眠気に対して我慢するという防御ではなく、覚醒《かくせい》というスイッチで攻撃する。「攻撃は最大の防御なり」なのだ。

睡眠と覚醒はセットになっている。**朝起きてから眠るまでの行動習慣が最高の睡眠をつくり出し、最高の睡眠が最高のパフォーマンスをつくり出す**のだ。

これが、覚醒と睡眠の「良循環」である。

「ぐっすり寝る人」は朝から違う

覚醒と睡眠が表裏一体である以上、朝ぐずぐずと寝坊をし、一日を眠気とともに過ごし、悪影響を及ぼすような昼寝をすると、夜になっても睡眠のスイッチが入らない。入眠潜時が長引いてなかなか寝つけず、眠ったところで浅く、黄金の90分を逃してしまい、睡眠全体の質が下がる。そして翌朝、起きられない……まさに悪循環だ。

不眠症の患者を見ていると、やはり全体に脳が過活動になっている可能性がある。夜になっても脳の興奮が収まらないのだ。**「不眠症は朝から始まる」**としばしばいわれるのは、このように睡眠と覚醒がセットになっていて、朝から脳の過活動が始まっているからである。

ビジネスパーソンの大多数も、おそらく脳の活動が過剰になっている。夜になっていきなり「さあ、脳を休ませて寝よう」とは、なかなかならない。

だからこそ、あなたが今、睡眠に悩んでいるのなら、朝からの覚醒行動を変えていこう。

スタンフォードが見つけた「覚醒のスイッチ」

「体温のスイッチ」と「脳のスイッチ」で、私たちは眠る。

では、「覚醒のスイッチ」はどんなものだろう?

「神経回路のどこを刺激したら起きるのか」「どこを刺激したら寝るのか」というシステムは、現在かなり解明されている。

ノーベル賞の有力候補と目されているスタンフォード大学のカール・ダイセロス氏の研究は、その最先端として世界中の注目を集めた。

彼は「オプトジェネティクス（光遺伝学）」という学問領域の先駆者だ。標的とした神経細胞群に「光に反応する物質」を発現させ、頭の中に細い「光ファイバー」を入れてそこに光を当てることで、脳の神経細胞を自在に興奮・鎮静させる研究をおこなっている。

平たくいうと、「昔であれば脳に電極を入れて電気刺激を与える」ことでしか見られなかった反応が、「光を当てるだけでわかる」ようになった、ということだ。

実際にマウスを用いて、光で「覚醒／睡眠」を操る実験をしたことがある。

先ほど「覚醒の役割をもつオレキシン」という神経伝達物質を紹介したが、オレキシンは2か所の研究所で同時に発見されたため、2つの名前をもっている。サンディエゴのスクリプス研究所のルイス・デレシア氏が発見した「ヒポクレチン」はそのひとつ。

私とSCNラボの藤木通弘氏は、彼に「マウスで睡眠を記録する方法」を教えた。デレシア氏はダイセロス氏の協力も得て、このヒポクレチン神経細胞に「光に反応して興奮させる受容体」を発現させ、そこに光刺激を与える実験をした。すると、**それまで眠っていたマウスが瞬時に起きた**のだ。この「マウスのヒポクレチン神経細胞に光を与えると覚醒反応が得られる」発見は世界初で、『Nature』に報告している。

ちなみに、同じやり方で「光に反応して抑制させる受容体」を発現させ光刺激を与えれば、マウスを瞬時に眠らせることも可能である。

かように科学は進んでいる。

だからといって、ビジネスパーソンが気軽に「じゃあ、今から寝たいので、光刺激で覚醒系ニューロンをオフにしよう」とか、「光刺激で今から3時間ぐっすり寝て、その後また光を当てて良い目覚めを起こす」という段階ではない。将来はこういったことも可能になるだろうが、それ以前にパーキンソン病や筋萎縮《いしゅく》性側索硬化症などの神経難病治療への応用が期待されている。

しかし現時点でも、理論を応用すれば「覚醒のスイッチ」を特別な道具を使わなくてもオンにすることは十分可能だ。科学的に根拠があり、かつ良睡眠の効果が期待できる覚醒のスイッチのオン・オフ法を紹介するので、意識して取り入れてほしい。

そしてその鍵《かぎ》は、2つの覚醒のスイッチを押すことである。

2つのスイッチ、それは**「光」**と**「体温」**だ。

覚醒のスイッチ① 光

人間はおよそ**「24・2時間」**のサーカディアンリズムで動いている。そんな私たちが、24時間の地球のリズムに同調できるのは、光があるためだ。

では、光がなかったらどうなるのだろう？

マウスのサーカディアンリズムは24時間より短く、たとえば「23・7」時間の種類もいる。

このマウスを光がまったくない状態に置く実験をすると、彼らは固有のリズムで生活することになるので、生活の開始時間が毎日18分ずつ早くなる。マウスの体温の変化から、彼らにとっての「生活開始」は、ヒトでは起床や洗顔、朝食にあたると思われる。

この条件で1か月飼育を続けると、夜行性のマウスはなんと、昼の時間帯に活動しだすのだ。

「フリーラン」

地球のリズムに影響を受けず、生物固有の体内時計でのみ生きるこのような状態は「フリーラン」状態と呼ばれている。

人間の場合、光がまったくないとまともな生活ができず、発狂する可能性があるので、軽作業ができる程度の薄明かりで同じ「フリーラン」実験をおこなう。そのため、光の影響を完全に除去できず、よく「人間の体内リズムは25時間」といわれていた。

しかし、今は「24・2時間」と、それより短いと考えられている。

光はいうまでもなく、朝、昼、晩をつくり出す。季節によっては夜が長くなったり短くなったりするが、24時間の周期性になっていることは間違いない。

私たちの朝と夜は光なしでは訪れないし、**体温、自律神経、脳やホルモンの働きも、光がないとリズムが崩れて調子が悪くなってしまう**のだ。

奈良県立医科大学の佐伯圭吾氏、大林賢史氏が実施した、平城京に住む高齢者を対象にした1000人規模の調査がある。

白内障（光感知機能が減弱した）患者を「治療のため手術を受けるグループ」と「受けないグループ」に分けてデータを集積したところ、手術を受けたグループで認知機能が良かった。これは、**光の刺激が脳の活性化に影響を与える**ことを示す大事な報告である。

また、**「夜間の豆電球程度の明かりが、肥満や脂質代謝異常のリスクも増やす」**というユニークな発表も、同グループはおこなっている。

これほど大切な光は、窓を開けるだけで簡単に手に入る。朝は太陽の光を必ず浴びる習慣をつけよう。数分程度の少しの時間でいいし、雨や曇りで太陽が見えなくても、体内リズムや覚醒に影響を与える光の成分は脳に届いているから大丈夫だ。

覚醒のスイッチ② 体温

体温はサーカディアンリズムの影響をもっとも受けている。睡眠中は下がり、覚醒時は上がる。このリズムを外的要因で崩さないようにすることが大切だ。

要は、**覚醒時はしっかりと体温を上げてスイッチオンにしておく**のが、良い覚醒を保つうえでは大事なのだ。

光と体温、この2つがおもにいい覚醒をつくっているといえるが、そのほかにも**ホルモンや神経伝達物質もその一翼を担っている**。これら、入眠に比べるとたくさんある覚醒のスイッチを押すための一日の行動習慣を紹介していこう。朝から順番に実行していけば、その夜の睡眠の質は確実に上がるにちがいない。

睡眠レベルをさらに高める「スタンフォード覚醒戦略」

覚醒戦略① アラームは「2つの時間」でセットする

最高の睡眠をつくる覚醒のスタートを切るうえで、「目覚めをよくする」ことは欠かせない。

個人差はあるものの、人はおよそ90分サイクルで眠りの周期を繰り返す。朝に近づくにつれ、ノンレム睡眠が減り、レム睡眠が増える。体温はゆるやかに上昇し、交感神経優位になってくる。

また明け方には、血糖値の調節などで重要な役割を果たす「コルチゾール」というホルモンの分泌量が増えるのも重要なポイントだ。コルチゾールの分泌は明け方ピークを迎え、午後に近づくにつれて減少し、睡眠中の前半ではほとんど分泌されない。朝の覚醒前に分泌が多くなるのは、その日の活動への準備とも考えられている。

では、この「脳と体が目覚めの準備をする」どのタイミングで起きれば、良い覚醒へのスタートを切れるのだろうか？

冒頭でも書いたが、「入眠から90分の倍数（すなわちレム睡眠のとき）に起きれば、頭もすっきりして爽快感《そうかい》が得られる」という説は根強い。

１９７０年代の報告だが、いつ起きたら爽快感があり、その後のパフォーマンスが上がるかを調べた実験がある。すると、明け方のレム睡眠のときに起きると良いという結果が出た。それで、レム睡眠の出現に合わせて起きる「90分の倍数」説が広まったのだろう。

だが、実際にはこの**スリープサイクルには個人差があり、それほど規則的でないため前もって予測できない**のは、あなたも確認したとおり。この「90の倍数」説は、あまりに大ざっぱな提案といわざるをえない。

ただ、あまり神経質にならなくても、明け方はレム睡眠の持続時間が長いので、レム睡眠のときやその直後に自然と覚醒していることが多い。

そもそも、**レム睡眠がいつ出現するかを調べるのは難しい**。筋電図、脳波、眼球運動を普通の家庭のベッドサイドで測るのは現実的ではない。

今は眠りの深さを測定する睡眠アプリや腕時計型の装置などがあり、同じ理論を応用した目覚まし機能などもつけられているが、現段階ではどれも「レム睡眠の検出」においては正確性に欠ける。

そこで私が推奨するのは、**「起床のウインドウ（余白）」**をつくる方法。

具体的には、**アラームを2つの時間でセットする**というものだ。

手順はごくシンプルで、仮に7時には絶対に起きなくてはいけないとしたら、6時40分と7時の2つの時間にアラームをセットする。**6時40分から7時までの20分を「起床のウインドウ」**とするのだ。

朝方であれば、レム睡眠の時間は長くなっているし、20分前後で「ノンレム↓レム」の切り替えがおこなわれている。このタイミングをねらう作戦だ。

実行にあたっては、**1回目のアラームは「ごく微音で、短く」セットする**ことを心がけてほしい。

というのも、レム睡眠時は覚醒しやすいので、小さい物音でも目覚めやすい。小さい音でアラームに気づければ、「レム睡眠で起きられた」ということなので、目覚めは良いはずだ。

1回目のタイミングで起きることができなくてもかまわない。なぜなら、このとき目覚めなければ「ノンレム睡眠」で深い眠りの真っ最中ということだからだ。仮に音が大きいとノンレム睡眠で起きてしまい、目覚めの悪さにつながってしまう。

アラームが通りすぎるのは怖いかもしれないが、ご安心を。2回目の7時のアラームでは、無理なく起きられるはずだ。

この「2つのポイントでセットする方法」なら、最初のアラームが鳴った際、あなたがノンレム睡眠中なら「悪い目覚め」をスルーでき、**レム睡眠のときに起きられる確率が、条件によって多少変わるが約1・5倍**になる。

「なら、スヌーズ機能で良いのでは？」と思われるかもしれないが、個人的にはおすすめしない。スヌーズだと、十分な時間が空けられず、起きにくいノンレム睡眠で何度も警告音が鳴り響き、目覚めも良いはずがないからだ。

5～7時くらいの時間帯であれば、生理的にレム睡眠が増えているので、目覚めが良くなる確率はかなり高い。

逆に、「会社がフレックスだから9時まで寝ていよう」というのはおすすめできない。コルチゾールの分泌が始まり、体温も上昇する、まさに起きる準備が整った体で寝ていても、良い睡眠はとれないだろう。次に記すが、朝の光や食事はリズム形成に非常に重要で、このスタイルだとみすみす自らリズムを乱している。

また、**「朝早くから目覚めるが、布団からなかなか出られない」のはうつ病の兆候**で、その間布団の中で不安や緊張が強くなってあらぬことを考えてしまいがちなので、注意してほしい。

覚醒戦略② 「眠りへの誘惑物質」を断捨離する

目が覚めれば自然に体温は上がっていくが、**すぐに行動することでさらに体温のス**

イッチがしっかりオンになる。

ただし、血圧が高めの人は、血圧の急上昇を抑えるために目が覚めてすぐに起き上がるのは避けたほうがいい。ゆっくりとベッドから出よう。

ベッドから出たら、天気にかかわらず**朝の光**を浴びる。これは何があっても欠かしたくない行動習慣だ。ごくシンプルだが、効果はとてつもなく大きい。

夜に働いて昼に眠るシフトワーカーは、光と連動した生活が難しく、24時間という地球のリズムに同調しにくい。人間がもともともつ「24・2時間」のサーカディアンリズムのままだから、どんどん時間がずれていってしまうのだ。

典型的なのが、全盲の人のケース。網膜に障害がある全盲の人の場合、光を感知できない。そのため、生活がどんどん「フリーラン」し、後退していく。すると、「昼間に寝て、夜ずっと起きたまま」という状態が何日か続き、また戻っていく……これが繰り返されることに。家族にしても、本人にとっても本当につらいことだ。

だが、1991年、「メラトニン」をこういった患者に投与するとフリーランがリセットされ、24時間に同調でき、夜間普通に就寝できることを、オレゴン健康科学大学のロバート・L・サック氏、アルフレッド・J・レビー氏らが報告した。

この研究によって「睡眠・生体リズムにはメラトニン」と、一躍脚光を浴びた。処方箋《せん》が不要で、入手も簡単なことから、アメリカでは今も約200億円売れている人気のサプリメントだ。昔は、ブタの脳にある松果体から抽出し精製してつくられていたが、今はより安全な、合成のメラトニン・サプリが生産されている。

だが、メラトニンのサプリは効く人と効かない人がいる。

メラトニンのサプリを飲んで効果があるのは、おもに高齢者。加齢とともにメラトニンの分泌量は減っていく。光の刺激に対する感受性は、加齢によって弱くなるので、メラトニンの分泌リズムが崩れるのだ。

つまり、若くて視力に障害がない人は、**サプリなど飲まなくても自前のメラトニンがつくれる**ので、安易にサプリを飲むより「きちんと分泌させる」ほうに意識を切り替えたほうがいい。そのための行動習慣を身につければ、メラトニンを調整する力が無料で手に入る。

かように、メラトニンには「体内リズムを整え、眠りを推進させる」力があるので、**覚醒の段階では、分泌を抑えなければいけない**。

そんなメラトニンの分泌抑制に大きく貢献してくれるのが、**「太陽の光」**である。「メラトニン分泌を抑えるには、太陽の光でなければならない」というわけではないが、ここはまだまだ研究が途中の段階で、実生活で使うにはまだ少し時間がかかる。なので、一番身近な朝の太陽の光をふんだんに利用しよう。

太陽光にしろ人工の明かりにしろ、光をキャッチするのは目である。人間は網膜に「メラノプシン」という受容体があり、それが470ナノメーターというある特定の波長の光を感知すると、メラトニンの分泌が抑えられる。

この現象は視覚とは別のものなので、太陽を直接見なくても、**日の光に当たるだけで効果が得られる**のだ。

メラトニン調節の一端を担う「メラノプシン」について報告されたのは15年以上前。最新のものではないが、まだまだ認識は低く、これから「ホット」な分野だけに、その覚醒作用の応用が期待されている。

覚醒戦略③「裸足朝活」で覚醒ステージを上げる

「上行性網様体」は脳幹部の中心にあるいろいろな線維が網のように走っている部分。動物実験でその部分を破壊したところ、寝たような状態になることがわかっている。裏返せば、**「上行性網様体を刺激すれば覚醒する」**ということだ。

たとえば、**聴覚、視覚に注意喚起すると、上行性網様体は活性化する**。夜中の救急車の音やパトカーのサイレンで目が覚めたことはないだろうか。真っ暗な部屋を突然明るくすると、寝ていた子どもが目を覚ましてしまうこともある。

この性質を生かして、朝は感覚を刺激し、すっきりと覚醒しよう。

家の中ではスリッパを履いている人が多いと思うが、起き抜けはあえて裸足《はだし》にしてみるといい。これは単純だが2つの効果が期待できる。

1つは**床にじかに触れることで皮膚感覚を刺激して、上行性網様体を活性化させる**こと。

もう1つは、**裸足で皮膚温度を下げ、サーカディアンリズムで自然に上がっている深部体温と皮膚温度の差をさらに広げる**こと。「皮膚温度と深部体温の差が縮まると眠くなる」という性質を逆手にとるのだ。

とくに冬場には、今まで避けていた洗面台回りやキッチンの「冷たい床」が覚醒のスイッチとなってくれるので、ぜひ一度試してほしい。

覚醒戦略④「ハンドウォッシュ」メソッドで目を覚ます

朝、起きたら顔を洗う。誰もが当たり前にしていることだ。しかしこれも、ちょっとした工夫で覚醒のスイッチがしっかり入る。

まず、脳を目覚めさせるために、**手を冷たい水で洗う**。朝は深部体温が上がっている状態なので、手を水につけることで、深部体温と皮膚温度の差を少しでも広げるのがねらいだ。

ちなみに歯磨きも、「冷たい水で」という習慣があってもいい。冷水が深部体温に対する効果は限定的だとしても、リフレッシュや気分の引き締まりになるだろう。

朝に入浴する人も多いが、**「朝風呂」はあまりおすすめできない**。

「お風呂に入って体温を上げると活動モードになるからいいのでは？」と思うかもしれないが、体温は大きく上がるとより下がろうとする性質があった。

前述したとおり40℃のお風呂に15分くらい入ると深部体温が0・5℃ほど上がる。これは大きな上昇なので、しばらくすると体温は下がり、眠くなってしまう。

こうしたことを考えると、**朝はシャワー**がおすすめだ。

脳のスイッチオンのために、シャワーを浴びて爽快感を味わおう。気分を引き締めて仕事に行くモチベーションを上げるのにも一役買ってくれる。

覚醒戦略⑤「咀嚼力」で眠りと記憶を強化する

「朝、起きたらおなかがすいている」

これは、質が良い睡眠をとれているかどうかのバロメーターだ。

とはいえ、体全体が目覚めるのを待ってから内臓を動かすほうが良いので、まず朝日を浴び、次にシャワーを浴び、朝食をとるのがいいだろう。もちろん、朝は時間との闘いという人も多い。洗顔だけすませて、光を浴びながら朝食というのもありだ。

朝食には、体温を上げ、一日のリズムを整えて活動を始めるためのエネルギー補給という役割がある。

早稲田大学の柴田重信氏らが、マウス実験でこんな報告をしている。「朝食を抜いて、夕食だけの食事」をしたマウスや、「1日2食でも、夕食のほうを重めにとった」マウスは、なんと肥満になりやすかったというのだ。つまり、**朝食には「体内時計のリセット効果」と「肥満防止効果」があり、まさに一石二鳥**なのだ。

ちなみに、私の朝食は20年間ずっと白いご飯にみそ汁、ベーコンエッグだ。温かいみそ汁は、体を温めてくれる。スープでもみそ汁でも、**汁物は体温を上げる**ので、覚醒を助けるためにも朝食に加えるといいだろう。

また、アメリカのカリカリのベーコンは強く噛《か》まねばならず、それが脳への刺激にもなっている気がする。

「噛む」というのはとても大切なことだ。ＳＣＮラボの姉川絵美子氏、酒井紀彰氏が、マウスを使って「噛むことと体内リズムや睡眠」についての実験をおこなった。マウスの飼育には通常固形のペレットを与える。すると、彼らは好んでペレットをカリカリ砕きながら食べる。そこで、通常のペレットと、ペレットをミキサーで砕いて粉末で与えたマウスの睡眠・行動パターンを詳細に調べた。

比較すると、**固形食の「噛んで食べるマウス」には、睡眠や行動パターンに夜昼のメリハリがある**ことがわかった。逆に、粉のエサを与えた「噛まずに食べるマウス」は、夜昼のメリハリがなくなった。**活動期の睡眠量が通常のマウスより多くなり、覚醒すべき時間に活発に活動しなくなった**のだ。

また、「噛まずに食べるマウス」は、記憶にも悪影響が及んでいた可能性もある。脳内には何千億個も神経細胞があるが、かつては「大人になると神経細胞は減る一方」と考えられていた。

しかし、実際には大人になってからも脳内で新たな神経細胞が生まれる「神経新生」という現象が起きており、これは運動などで増強できると考えられている。

そこで、大人や老人でも「よく噛んで記憶力を良くしよう」などといわれるようになったのだが、「噛んで食べるマウス」でも、記憶を司《つかさど》る海馬で神経新生が起きているのが確認できた。逆に、**「噛まずに食べるマウス」の海馬では、明らかに神経細胞の再生が減っていた**のである。

さらに、「噛まずに食べるマウス」は「噛むマウス」に比べてどんどん太ってくる。まさに、「マウスの生活習慣病」だ。

これは大きな発見だった。噛む力と記憶との関連はよくいわれているが、**噛むことが睡眠・行動パターンに影響する**という報告は初めてだ。これらの結果の一部は、日本のメディアでも取り上げられた。

「噛む」という行動をするとき、指令を発するのは脳だ。だが、**噛むことで三叉神経から脳に刺激が伝わる。「よく噛む」ことは一日のメリハリをつけるのに役立つ**のだ。

「噛まずに食べる人」になってしまうと、「覚醒と睡眠のメリハリがなくなり、記憶もあやしくなり、肥満になる」なんて、いいことなしだ。

それぐらい噛むことと睡眠はつながっているので「噛む習慣」を身につけてほしい。

覚醒戦略⑥ とにかく「汗だく」を避ける

朝、ジョギングをする習慣は今や世界的なものだ。アメリカでも日本滞在中でも、ランナーを目にしない日はない。

走るなら、夜よりは朝がいい。走ったり運動したりすると交感神経優位になるので、朝走れば、活動モードに切り替わるからだ。


だが、疲労するまで運動すると肝心の仕事のパフォーマンスが落ちてしまうし、ヘビーな運動は筋肉痛や関節痛を引き起こし、体や細胞を傷つける場合がある。

何より問題なのは体温が上がりすぎること。運動で体温が上がるのは活動モードに切り替えるという意味ではいいが、**体温は上がりすぎると発汗による熱放散が起きて元の体温より下がる**。これは眠気がやってくるサインだった。朝風呂に入ったときと同じ状況になるのだ。

夜しっかり寝て、朝すっきりと起きて、せっかく体温のリズムを合わせたのに、激しいジョギングで台無しになることがある。

何事もほどほどが良い。体のことを考えれば、**早足のウォーキング**のほうがおすすめできる。少なくとも、汗だくになるような運動だけは避けておこう。

覚醒戦略⑦　「テイクアウト・コーヒー」で「カフェイン以上」を取り込む

ビジネスパーソンは平均して、1日何杯コーヒーを飲むのだろう？　少し多いように聞こえるかもしれないが、「5杯ほど飲む」という人もいるのではないだろうか。

2015年の「欧州食品安全機関（EFSA）」では、成人1日約400ミリグラムまでなら安全とされているので、**「5杯」は許容範囲**だ。

むしろ、適量のコーヒー摂取は体にもいいとされ、**健康な成人の2型糖尿病、肝臓がん、子宮内膜がんのリスクを減らす**というエビデンスも報告されている。

ただしカフェインの睡眠への影響については知っておくべきだ。

血中のカフェイン濃度は半分になるまで約4時間かかる。

そのため、**就寝1時間前と3時間前にコーヒーを一杯ずつ飲むと、10分ほど寝つくまでの時間が長くなり、30分程度睡眠時間が短くなる**という報告があるのだ。

とくに、高齢者は睡眠が浅くなり、カフェインを肝臓で代謝する力も落ちてくるため、カフェインの影響を受けやすい。なので、夜遅くにコーヒーを飲みたくなったら、カフェインが入っていない「デカフェ」がおすすめだ。

コーヒーをたくさん飲んでしまうという人は、夕刻からはデカフェに切り替えてしまうというのも手だろう。

個人差もあると思うが、私の場合は午前中の6時に1杯、8時に1杯、10時ごろに1杯。午後は2時ごろに1杯を目安にしている。夜、会食があると食後のコーヒーをいただくが、自宅では夜には飲まない。

日中のパフォーマンスを上げ、覚醒のスイッチを押すという意味で、ビジネスパーソンには**コーヒーのテイクアウト**をおすすめする。カフェインは基礎代謝を上げ、覚醒モードに体を切り替える力がある。さらに、**ほかの刺激と同時におこなえば、相乗**

効果が期待できるので、「会話」という感覚刺激を加えようという作戦だ。

黙ってコーヒーを入れてデスクで飲むのでは、カフェイン刺激だけで終わってしまう。出勤前にカフェに立ち寄り、口に出してオーダーすれば会話刺激が加わり、さらにテイクアウトして会社の誰かと雑談をしたほうが、相乗効果で覚醒のスイッチがしっかり入る。コーヒーを、カンバセーションツールとして活用しよう。

カフェインは眠気や疲れ、覚醒時間に応じて蓄積する睡眠圧にも対抗するので、昼食後や午後にも効果を発揮してくれる。

覚醒戦略⑧　「大事なこと」をする時間を変える

私は朝6時にオフィスに行き、一人で仕事を開始する。

少なくとも9時ごろまでは電話がかかってくることもなく、アポイントなしで人が来ることもないから、集中できるのだ。意思決定が必要なこと、厄介なことは、たとえ前日の夜に決めていても、一晩おいて、しっかり睡眠をとった朝にもう一度考える。夜に慌てて返信したり、指示を出したりして後悔することがままあるからだ。

同様に、重要なディスカッションも、できれば午前中がいい。

また、論文を書く際も、書き出しを決めたり、論理構築をする書き始めの重要なタスクは朝に取り組む。

頭を使う仕事、重要な仕事はできるだけ午前中に集中したほうが賢明だ。


ランチの時間の後は、徐々にイージーモードの仕事にシフトしていく。眠りに向けて、脳を少しずつリラックスさせていくためだ。

軽いミーティングはリフレッシュになるので、昼食後に向く。また、論文に参考文献をつけたり、調べ物をするといった「手間はかかるがあまり思考を必要としない仕事」は午後におこなう。


坂道をゆるやかに下るように、自分なりのペース配分をし、パターン化していこう。

あくまで一例だが、瑣末《さまつ》なことで脳を興奮させないように、私の友人は夕方の支払いは現金ではなくクレジットカードを使うようにしている。

よく認知症の疑いがある兆候として、「小銭がたまる」ことがあげられる。その対策として、会計では小銭を積極的に使って脳を刺激することが推奨されているのだが、夜に関しては、睡眠前はできるだけ頭を働かせないほうがいい。

つまり、**眠りのために認知症対策の逆をいく**のだ。良い睡眠がとれていれば、脳にとっても良いはずなので、「夜のクレジットカード」でなるべく頭を使わないことも、その日の眠りには一役買いそうだ。

覚醒戦略⑨「夕食抜き生活」が眠りに響く

覚醒物質「オレキシン」は、脳の視床下部と呼ばれるところの細胞から放出される。**絶食するとオレキシンの分泌が促進されるが、食事をすればオレキシンの活動は低下し、覚醒度も落ち着く**ことがわかっている。

1998年、テキサス大学の櫻井武氏、柳沢正史氏（現、筑波大学国際統合睡眠医科学研究機構）らが新しい物質を発見し、動物を使った実験で、「大脳室内にその物質を入れると物を食べる」ことを報告した。この摂食行動こそオレキシンの名前の由来であり、世界的な発見だった。

ダイエットで夕食を抜くと眠れず、そればかりか夜中にたくさん食べてしまった経験がある人もいるだろう。また、徹夜をしていると、いやにおなかがすいた経験もあるだろう。

昔、スタンフォードで学生を使った断眠実験をしているとき、学生が「おなかがすいた」と不平を言い出したので、研究者が夜中のスーパーに食料を買いに走ったことは今でも語り草だ。

こうした現象にも、オレキシンが一役買っていると考えられている。

オレキシンは食欲を左右すると同時に、もちろん覚醒にも強い影響を与える。**夕食を食べないとオレキシンの分泌が促進され、食欲が増大するうえに、覚醒して眠れなくなる可能性が高い**のだ。

動物で絶食をさせるとエサを探す「探索行動」が顕著になるが、オレキシンをつくれないナルコレプシーマウスは絶食させても探索行動を増やさない。これは、食欲と睡眠の関係を物語っている。

さらに**オレキシンは、交感神経の活発化や体温上昇も引き起こす**。

つまり、「夕食を抜いたらオレキシンが増えて、食欲が増すし、眠れない」だけの問題ではなくなるのだ。自律神経が乱れ、あらゆる不調に「付け入るスキ」を見せることになる。

夕食抜きは、眠りと健康にとってまさに「百害あって一利なし」なのだ。

夕食をとる場合は、どんなに遅くても眠る1時間前までを目安にしよう。揚げ物など消化に時間がかかるものはさらに余裕をもつ、あるいは夕食には避けたほうがいいだろう。

覚醒戦略⑩「夜の冷やしトマト」で睡眠力アップ！

夜、ぐっすり眠るためには深部体温を下げる食品を夕食に取り入れるのも一案だ。身近なところでいえば**「冷やしトマト」**。体を冷やす性質があるトマトをさらに冷やして食べれば体温は下がる。レシピサイトではさまざまな趣向をこらした「冷やしトマト」レシピが紹介されているので、便利だ。

また、南国では体温を下げるために**「きゅうりジュース」**なるものを飲んでいるそうだが、まだ私は試したことがない。

ただし、「冷やしトマトを食べれば絶対眠れる」というわけではない。あくまでこれは補強手段。入眠時に体温を下げるという点においては、入浴に勝るものはないといえる。

冷やしトマトのように、眠りに良いとされる食べ物や飲み物はたくさんある。東洋には**漢方薬**があるし、ヨーロッパの**カノコソウ**や**カモミール**に代表されるようなハーブは、何百年も用いられてきた。

眠りに効くのか鎮静に効くのか、それがどれくらい強く効くのか、検証されていない部分もある。しかし、まったく効果がないものは淘汰《とうた》されていくから、「ずっと飲まれている」という事実が、「ある程度の効果がある」ひとつの証拠だと私は思う。効果があっても「副作用が強いサプリメント」も淘汰される。

逆にいうと、急に脚光を浴びる「科学的根拠のある食品」は、検証されていないものも多い。

たとえば、眠りを促し体内リズムを整えるメラトニンは、「何がどうなってメラトニンになるのか」というメカニズムがわかっている。

具体的には、トリプトファンという物質からつくられ、それがセロトニンになって、メラトニンとなるので、「トリプトファンを含む魚や肉、大豆食品を食べるとよく眠れる」などとよくいわれる。それらの成分を含むサプリメントもある。

だが、私たちは何を食べるかは選べるが、**食べ物の「使い道」を自分の意思で選ぶことはできない**。

たとえば、自分としては「眠るため」に食べた大豆食品が筋肉増強に使われてしまうこともあるし、逆もある。コラーゲンは肌に良いとされるが「美肌コラーゲンサプリ」を飲んだら臓器の傷を治すために使われていたりする。

使い道を決めるのは「体」なのだ。こうした事実を踏まえたうえで、野菜や肉、炭水化物などをバランス良く食べることを、眠りのためにも意識してほしい。そうすれば、サプリメントやビタミン剤に頼らずともぐっすり眠れる。

覚醒戦略⑪「金の眠り」になる酒を飲む

鎮静型の睡眠薬の多くは、**「ギャバ(GABA)」**という脳内物質の働きを強める作用がある。

ギャバは抑制系の神経伝達物質のアミノ酸で、脳内に広く分布している。

神経伝達物質には覚醒時に活動が高いものはいくつかあるが、睡眠時に活動が高いものは少ない。ギャバはその数少ない「睡眠時に活動する」神経伝達物質であり、睡眠薬などでギャバを外部から強めてやれば、睡眠導入効果や睡眠維持効果が期待できるのだ。

ただし、ギャバには抗不安や抗痙攣《けいれん》、筋弛緩《しかん》などの作用もあり、睡眠薬を飲むと意識混濁が引き起こされることもある。また、脱力やふらつきによる転倒や骨折も問題だ。これらが、ギャバ系の睡眠薬の副作用になる。

古いタイプの薬で、やはりギャバの作用を強める睡眠薬に「バルビツレート」というものがある。もともと麻酔薬で呼吸抑制の作用があるため、一時期はこれで自殺する人が続出した。芥川龍之介が35歳で大量に服用して自殺したのは有名だ。

お酒もギャバに影響を与え、バルビツレートと非常によく似た働きを示す。お酒には入眠作用があり、リラックス効果も望めるが、たくさん飲むとやはり呼吸抑制の作用が出てくる。**お酒は、睡眠薬と同じくらい強く、使いようによっては危険性がある**と認識してほしい。

適量を超えたアルコールはレム睡眠を阻害するし、深いノンレム睡眠も出現しなくなる。ビールなどでは大量の水分をとることになるうえ、アルコール自体に利尿効果があるため、夜中にトイレに行きたくなって目が覚め、深い眠りが妨げられることに。その後、脱水症状になってしまうと、やはり眠りの質は下がる。

結局、お酒を飲みすぎると黄金の90分など望めず、眠りの質は悪くなり、翌朝はすっきりしない。二日酔いになれば相乗効果で翌日のパフォーマンスの質も悪くなる。

良質の睡眠のためには、お酒の量は少なくしよう。睡眠導入剤並みの成分があるから、**少量であれば寝つきも良くなるし、睡眠の質を下げない**。ここでいう量はアルコール度数を指し、目安は体重にもよるが、**日本酒換算で1～1・5合**である。

1合程度なら、寝る100分前に飲むと寝つきが良くなり、翌日のコンディションも妨げられないと報告されている。また2～3合飲む場合は、アルコールが分解されるのに通常3時間かかるので、寝る2～3時間前までに飲酒をすませておきたい。お酒だけを単独で「ナイトキャップ」として一口飲むくらいなら、前述したオペラ歌手のように、寝る直前でもいい。ギャバへの働きは短時間で出現するので、寝る前に睡眠導入剤を飲むのと同じ感覚だ。

番外編　もう時差ぼけに悩まない！　スタンフォード秘伝の海外出張術

私は学会や日本への一時帰国などで年に数回、海外出張をする。

時差ぼけは、人類が飛行機で旅をするようになって初めて現れた現象で、体温などの「体内リズム」と、昼夜という「地球のリズム」が同調できなくなっている状態だ。

順応するのは1日約1時間。つまり時差が7時間なら、再び同調するまで7日かかる。体温とパフォーマンスは比例しているので、時差ぼけのままだと仕事の質はどうしても落ちてしまう。また、**時差の関係で就寝時間に体温が高いと入眠が困難になる。**

2011年、スタンフォードのグループが「光を当てることによる体内リズムへの影響」についての研究発表をした。

就寝時の被験者に、**本人は気づかない程度の非常に短い（ミリ秒）光を照射すると、体内リズムが大きく後退する**というものだ。この光こそ、ブルーライトやメラトニンについての項で述べた470ナノメーターの光である。

光の強さや照射するタイミングについては今、厳密に研究されている最中だ。これがもし公表されれば、時差ぼけに応用できる可能性が大いにある。「季節性感情障害」と呼ばれる北欧のうつ病治療にも役立つと期待されている。

また、2013年、京都大学の岡村均氏らは**遺伝子改変によって時差ぼけを示さないマウスをつくることに成功**した。

体内時計のある「視交叉《しこうさ》上核《じょうかく》」と呼ばれるところには「アルギニンバソプレッシン」という物質が多く含まれているのだが、この作用を妨害すると、明暗環境を変化させたときに生じるマウスの行動リズムの変化が完全に消失することを『Science』に報告した。

この発見により、今後時差ぼけの特効薬の開発などが期待できる。

現状、時差ぼけを防ぐには、飛行機に乗っている間はもちろん、**出発前から現地の時間に合わせて行動する**ことだ。とくに、**出発直前の食事を、現地時間に照らし合わせて「とるかとらないか」を決めるのは効果がある**ように感じる。

つまり、日本がディナータイムだったとしても、目的地が食事の時間でなければ「食べない」作戦だ（逆も然《しか》り）。

ファーストクラスやビジネスクラスだと、航空会社のラウンジで飲み物や軽食がとれる。海外出張が多いビジネスパーソンを見ていると、ラウンジで軽く食べておき、機内食をスキップする人が多いようだ。また、自分で食事時間を決めてキャビンアテンダントにそのスケジュールで出すよう頼んでいる人もいる。

航空会社としてはサービスのつもりで工夫して機内食を出しているのだろうが、現地の時間と関係なくたくさん食べたりお酒を飲んだりするのはデメリットが大きい。

とはいえ私自身、たまたまファーストクラスにアップグレードされてうれしくなり、食べすぎてコンディションが悪くなった恥ずかしい経験がある。

もちろん、プライベートな旅なら、食事やお酒を楽しむのもいいだろう。

だが、**仕事が控えている海外出張であれば、時差ぼけ防止のためにも出発当日はできるだけ現地の時間に合わせて行動し（とくにオレキシンと関係のある食事）、機内食は食べないと決めてしまう**のもおすすめだ。

眠りにまつわる目の前の大きな「あの悩み」

睡眠は「量」ではなく「質」で決まる。

最初の90分が勝負の分かれ目。

体温と脳のスイッチを操れば、ぐっと深い90分が手に入る。

そして、起きている間も、眠りとあなたは強くつながっている――。

ここまで、あなたの人生に深く影響を与える「睡眠」の実態を掘り下げ、そして最高の睡眠の鍵となる「90分」を突き止めた。そして、90分の眠りを深める「体温」と「脳」のスイッチ操作法、日中の覚醒スイッチの入れ方も見てきた。

これで、あなたの睡眠は史上最高のものとなり、日中もこれまで感じたことがないくらいコンディションが整っていくはずだ。

とはいえ、睡眠に関するあなたの喫緊の問題は何だろう？

眠れない？　起きれない？　それとも、悪い夢ばかり見てしまう？

うなずく人もいるかもしれないが、違う思いを抱く人も多いのではないだろうか。

多くの人にとっての目の前の問題――それは、おそらく**「眠気」**。

「日中眠たい」と、覚醒時の眠気に頭をもたげる人もたくさんいるのではないだろうか。

本書の知識やメソッドを体得していただければ、たしかに眠りの質は上がって「あらぬタイミングでの眠気」は少なくなる。

しかし、おそらくあなたにとっては「明日の眠気」が問題であり、「睡眠の質を上げる」前に、「その場で眠気をどうにかしたい」というのが本音かもしれない。

この「眠気の問題」提起は本書に始まったことではないものの、眠気を追い出す方法として、よくほかの睡眠本では「昼寝」があげられている。しかし、**実際問題、「昼寝がいい」とわかっていても、昼寝できる環境にない人がほとんど**だろう。

たとえば、大事な会議中眠くなったら？　あなたはどうするだろう？

「昼寝をせずに、明日やってくる睡魔にどうすれば勝てるのか？」

眠りを巡る旅の最終章として、この眠気を科学してみたいと思う。

覚醒戦略⑥で記したように、「体温の急上昇」を避けるなどして日中「眠りのスイッチ」がオンになるのを防ぐ予防策をあなたは手に入れた。

では、最後のステップとして、どんなに退屈な会議でも、最後まで意識を保てる「眠気を追い払う即効薬」も手に入れてしまおうではないか。

5

「眠気」を制する者が人生を制す

「睡魔」はあなたの敵か、味方か

なぜ「夜以外」も眠たくなるのか

眠りを巡る旅の締めくくりとして、ビジネスパーソンを悩ませる「眠気」について考えていこう。

眠気の正体を暴き、それをどう解消するかは、私の専門である「ナルコレプシー」の大きなテーマといっていい。そこで得た知見を、あなたにもシェアし、実際の行動指針も述べていく。

人間は16時間連続して覚醒《かくせい》していられるとされるが、**眠気というのは、厳密には「まとまった長い覚醒を維持できない状態」**のことを指している。

ナルコレプシー患者の場合は、眠気が頻繁に起きるし、入眠潜時が1~2分と極端に短い。そのため一日中眠気があり、入眠に時間がかからないから一瞬で居眠りをするように見える。「ナルコレプシーの眠気」で特徴的なのは、短い昼寝をすると眠気が一時的に消えることだ。しかし、それは長続きせず、2時間ほどすると、また耐えがたい眠気に襲われることに。

健康な人の場合、極端な睡眠不足でもない限り、眠気は一日中続くわけでもないし、入眠するにも多少の時間がかかる。

前述したスタンフォードの「A 90 minute day」実験では、ナルコレプシーの患者と健康な人を比較している。すると、健康な人でも1日のうち14時ごろが眠ってしまいやすい時間だとわかった。うとうとしてしまう午後の眠気、これは**「アフタヌーンディップ」**と呼ばれる現象だ。

アフタヌーンディップの原因は、大きく分けて2つある。

1つは、睡眠負債によって睡眠圧が増してくること。

もう1つは、「サーカディアンリズム」や90〜120分でやってくるとされる「ウルトラディアンリズム」などの体内時計の問題である。

どちらの影響にせよ、眠気に襲われて困るのは、大きく分けて以下の3つだと思う。

・朝起きても眠気が消えないパターン。
・昼食後眠気に襲われる「アフタヌーンディップ」のパターン。
・日中、たとえば退屈な会議中にやってくるおなじみの「眠気」。

いずれにせよ、知識を得てからのほうが眠気とつきあう方法も納得して実行しやすいので、まずは順番に原因を探っていこう。

「朝、目覚めが悪い」のはなぜ？

何とか目を覚まし、起き上がったもののさっぱり眠気がとれない。出勤まで時間もなく、朝の光とシャワーを浴びて朝食をとらなければいけないのに、眠くて朝の光を浴びながらぼんやりしてしまう……。

こんな一日の始まりの裏には何が隠れているのだろう。

まず考えられるのは、慢性的に睡眠が足りず、「睡眠負債」を抱えていることだ。あまりにも睡眠が足りていなければ、少し寝たくらいでは負債は返済できない。

また、こういう状態だと**短い昼寝でもリフレッシュできない**ことも加えておく。「仮眠」の効果が最近よく取り上げられていて、たしかにナルコレプシーの患者は短い昼寝でリフレッシュできるのだが、**睡眠負債からくる眠気においては、短い昼寝で眠気を解消するのは難しい**だろう。

もし、「起きがけの眠気」が何日も続くのに、睡眠不足の自覚がないなら、睡眠時無呼吸症候群を疑ってほしい。眠っている間、無呼吸になって脳が覚醒反応を示しても、必ずしも完全に起きるわけではないので、無呼吸の自覚がない場合が多い。

睡眠のパターンが乱れると、目覚めやその後の活動の準備ができない。

過度の飲酒や慢性的な睡眠不足は乱れを助長し、明け方になっても「長いレム睡眠」が現れにくい。そのため、ノンレム睡眠から無理やり起床する可能性が強まり、目覚めが悪くなるのだ。

生活リズムの乱れは、そっくりそのまま睡眠リズムの乱れにつながる。そうなると「眠り始めの90分」は簡単にさびつき、活動の準備が整わない。さらに、最初のノンレム睡眠の大事な役割である「睡眠圧の解消」もうまくできないため、明け方になっても眠気が残ってしまうのだ。そのため、起きても脳がボーッとする。

この、残った眠気に脳が引っ張られる現象を**「睡眠慣性」**という。

本書でお伝えしてきた「眠り始め」を損なわないよう工夫するとともに、4章で紹介した目覚まし時計をウインドウでセットするといった方法で、起床のタイミングもレム睡眠のときにうまく合わせてほしい。

ランチは「食べても」「抜いても」眠い？

「アフタヌーンディップの原因は、睡眠負債とサーカディアンリズムの影響が大きい」と言うと、首をかしげる人もいるだろう。

決まって、「えっ、ランチを食べたせいでしょう？」と反論があるのだ。

だが、これまたスタンフォードの研究で**「昼食は午後2時ごろに起きる入眠潜時の短縮（眠気の襲来）には関係ない」**という実験結果が出ており、**生物的に、ランチは午後に眠くなる要因ではない。**

アフタヌーンディップ対策としてもさまざまなことが試された。なかでも、効果が見られたのは「朝1〜2時間長めに眠る」という朝寝坊法。朝寝坊をすれば、アフタヌーンディップが多少軽減するというわけだ。

といっても、「遅寝遅起き」はおすすめしない。「起きる時間を遅くすると、午後の眠気が軽くなる」なら、**それは慢性的に寝不足であることを示す証拠**にほかならない。

そもそも寝不足自体に午後の眠気を強める作用があるので、この朝寝坊法は「その日しのぎ」の対策で、根本解決にはならない。いつか必ずツケを払わされる。

ただし、私たちの多くは「ランチの後は眠い」という自覚があるのも事実だ。いったい、どういうことだろう？

「食事をとると、消化のために腸に行く血流が増えて、脳に行く血流は減る」とよくいわれるが、**どんな状況でも脳血流は第一に確保される**。なので、ランチ後の眠気は血流の問題ではない。「満腹感によって意欲が低下し、何もする気が起きず、眠いと感じる」というのが私の見解だ。

ランチ後に訪れるのは、厳密にいえば**「眠気とは違う倦怠感」**といったものだろうか。両者はなかなか区別がつきにくいが、少なくとも「朝食後眠い」というのは、聞いたことも、経験したこともない。

14時ごろにやってくる「けだるさ」とランチは関係がない。そして、これは「眠気」とも違う――そうはいっても、実際に問題が起きているのなら、対処する必要がある。

私が心がけているのは、ランチにはヘビーミールを選ばないこと。

あまりに重い食事をとると血糖値にも影響が出て、極端な場合はオレキシンなどの覚醒物質の活動を抑えてしまう可能性もある。私は、仕事を始めたら昼は食べないという習慣を続けており、それが体質に合っているようだ。現代社会において、ヒトは捕食動物ではないが、**空腹時にはオレキシンの分泌も増え、覚醒度が上がる**。

たまに来客があると、スタンフォードの教員用ラウンジでランチをとる。種類が豊富でサーブも早いブッフェなので来客には喜んでもらえるが、私自身はハーフサイズのサンドイッチのみだ。

渡米したばかりのころは、私も喜んであれこれ食べていたが、午後ボーッとして使えなくなってしまうので、今のスタイルに落ち着いた。

当たり前のようにハーフサイズが用意してあるということは健康ブームの影響もあるだろうし、「昼は軽く」というニーズがスタンフォードの職員には多いのだろう。

もっとも、日本人の私には「これでハーフか？」と首をかしげるところもあるのだが、アメリカ人の通常の食事量からすると抑えてあることは間違いない。

ランチは軽めで、ヘビーミールを避ければ、午後の倦怠《けんたい》感防止に役立つはずだ。また、食べるときも、４章でお伝えしたように「噛《か》む」ことを意識してほしい。

退屈な会議にやってくる「睡魔」の正体

ただし、それだけでは「眠気」は回避できない。

なぜなら、ランチをとろうがとるまいが、アフタヌーンディップの影響で14時ごろには必ずといっていいほど「眠気」がやってくるからだ。それに、14時以外の時間帯でも「眠い」と感じることも多いのではないだろうか。

99％の人が、次のような「寝てはいけないとき」に眠気を感じたことがあるだろう。

・大学の授業中、机につっぷして眠ってしまった。
・部長ばかりがしゃべる長い会議中、うつらうつらしてしまう。
・単調なデスクワーク、気がつくとよだれが書類に垂れていた……。

アフタヌーンディップに限らず、なぜ「眠気」はやってくるのだろう――。

突然襲ってくる睡魔はこれまで見たとおり、体温や室温の変化によって誘導されることもあれば、ひょっとするとあなたの睡眠量が十分でなかったり、質が悪かったために起きているのかもしれない。

なので、基本的には「最初の90分」の質を高めれば、睡魔に出くわす機会も減る。

ただし、そうはいっても、明日から即「最高の睡眠」に変わるとも限らない。

ここからは、目先の「眠気」にどう立ち向かえばいいのか、**スタンフォード式のアンチスリーピング術**を述べていこう。ぜひ、明日のお昼にでも思い出してほしい。たちどころに眠気が消え、クリアな世界があなたの元へ戻ってくるはずだ。

睡魔に打ち勝つスタンフォード式「アンチスリーピング」メソッド

アメリカ人が会議で眠気に襲われないわけ

「会議のときに眠たくなる」

これは多くのビジネスパーソンが抱える悩みだが、こと日本の会議ではアメリカ以上にうなだれている人が多い印象だ。

眠気について人種差があるというエビデンスはないし、仮にそのような報告があっても緯度の違いによる日照時間や平均気温などを厳密に検証しなければいけない。

そもそもアメリカ人といっても白人、黒人もいればラテン系もアジア系もいる。西海岸はとくにアジア系が多いが、彼らが会議でうとうとすることは滅多にない。

私が思うに、会議中の眠気は生理的な問題ではなく、多くの場合、会議の「運営法」の問題だ。

日本の場合、会議は基本長時間。メンバーも厳選されておらず、「とりあえず顔を出して座っているだけ」の人も少なからずいる。

また、会議の進行が固定されており、「誰が冒頭で説明をし、それについていつ、誰がどんな意見を述べるか」が暗黙のうちに決まっているような気がする。

たとえば私が日本でセミナーをするときは、決まって終わりに質問コーナーがあるが、なかなか最初の一人の質問が出ない。沈黙が続くと、座長やその大学の教授が、「〇〇君、何か質問ありますか?」と、暗に質問者を指名する。

アメリカでは絶対にないことだ。

アメリカの会議は短い。1時間、あるいは30分など終了時間があらかじめ決まっており、要件が終わればそこで会議終了。終了時間が設定されているので、多くのメンバーは次の予定を入れている。

メンバーも必要最小限だ。そして参加したメンバーは、必ず自分から発言する。質問コーナーでなくても、聞きたくなればすぐに質問するし、意見も述べる。

とくに私がいる西海岸では、深く考えなくてもとりあえず意見を言う人が多い。「意見を言わなければ、後でいくら文句を言ってもしかたがない」という風潮なのだ。

これはアメリカに**「発言しない者はそこにいないのと同じ」**という文化があるためだ。小学生であっても黙っていたら授業に出ていないと見なされる。黙っていることさえ価値がないのだから、会議や授業中に眠るなんて言語道断だ。

前述したとおり、**会話は覚醒の強いスイッチ**となる。なので、積極的に発言すれば眠気は感じずにすむ。

アメリカでは学会であっても、「よくわからないのですが」「聞き逃したかもしれないのですが」と質問する人がいるし、私自身もする。

全体を理解しようとしたり、理解を深めようとしたりしているのだから、「わからない」というのは恥ずかしいことでも何でもない。わからないのに知ったかぶりをするほうが恥ずかしい。

専門外の話だと的外れなことを聞くかもしれないが、「それは当たり前だ」という認識がみんなにあるので、ためらいもない。

本書でハウツーのみならずエビデンスをお伝えしているのは、**知識は力となる**からだ。正しい知識があれば、人から与えられる間違った情報を排除できるし、自分自身でハウツーをつくり出し、時代の変化に合わせてアップデートもできる。

ミーティングでは質問しよう。細かなことでもいいから発言しよう。疑問はその場で解消しよう――そう強く思えば、眠気も少しずつ姿を消すはずだ。

「覚醒ニューロン」をとことん利用する

覚醒系を司《つかさど》る神経細胞（ニューロン）は複数あり、機能を分担している。それを利用して眠気を撃退する方法を、ぜひ覚えておいてほしい。

覚醒のときに活発になるニューロンとしては、ノルアドレナリン、セロトニン、ヒスタミンがある。オレキシンも覚醒と関係している。なかでも、最後に見つかった**オレキシンは親玉的存在で、ほかの覚醒系物質を支配**している。

ドーパミンについては意見が分かれるところだが、地震のときに飛び起きるとか、火事場のバカ力を発揮するなど、「エマージェンシー」に備えた覚醒に関連していると思われる。

なぜ、覚醒のニューロンが複数あるかといえば、覚醒時にはそれに伴ってさまざまな生理現象が生じるからで、よくある**「緊張」「集中」「注意」なども覚醒の重要な行動状態**だ。

一方、ノンレム睡眠では脳全体の活動量が低下し、役割も1章で述べた重要な5つに絞られる。いわば「受け身」の状態で、まさに「フラジール」なのだ。なので、ノンレム睡眠時に活動する神経細胞は限られており、ほぼ視床下部に固まっている。

つまり、覚醒を呼び戻すには、ノンレム睡眠時に比べるとはるかにたくさんあり、役割が分担されているそれぞれの**覚醒スイッチをオンにしない手はない**のだ。

噛めば噛むほど目が覚める

たくさんある覚醒のスイッチを、仕事中にオンにするには、いろいろなやり方がある。たとえば、**「ガム」**だ。

4章で「噛まずに食べる〝眠気の多い〟マウス」について記したが、噛むことで脳は活性化されるという性質を利用しよう。経験として実感しているかもしれないが、ミントやカフェイン入りのリフレッシュ効果や覚醒効果がある成分が入ったガムをよく噛めば、「覚醒成分の刺激」と「噛む刺激」の2つが同時に手に入る。

「眠くなったら、コーヒー」というのも定番の覚醒スイッチだ。

カフェインには覚醒作用があることは確認した。メーカーによって差はあるが、エナジードリンクの類《たぐ》いにはもれなくカフェインが入っていて、カフェインは世界中でもっとも消費されている覚醒系の物質である。

「カフェインといえばコーヒー」というイメージが強いが、実は**緑茶や紅茶にもカフェインは含まれており、とくに抹茶の含有量は高い。**もちろん、カカオ豆から作るチョコレートやココアにも含まれている。

冷たいものを持つと眠気が逃げる？

では「ホットコーヒー」と「アイスコーヒー」、どちらが目覚めに効くだろう？

ホットコーヒーやみそ汁など**温かいものを飲めば、多少は体温が上がり覚醒度が上がる。**なので、飲み物なら冷たいものよりも常温、もしくは温かいもののほうが覚醒を助ける。


「深部体温と皮膚温度の差が開くと、眠気が弱まる」ことに関連して、「冷たい缶コーヒーを持てば、手を冷やして眠気は飛ばせるか？」と聞かれたことがある。

理論的には成り立つのだが、残念ながらエビデンスはまだなく、直接的な覚醒作用は薄いだろう（そう意識することで、脳が一時的に働くかもしれないが）。

ただし、効果があったという人もいるので、5分間ぐらい持てば、覚醒度を上げられる可能性もある。

この手を使う体温調節については、実はさまざまな可能性がある。

体温調節を専門にするスタンフォードの生物学教授のクレイグ・ヘラー氏らは、肘《ひじ》から先を入れる小さなドームのようなデバイスを開発した。これは吸引して手の血管を拡張させる装置で、効率良く体を冷やしたり温めたりすることができる。

スポーツでは**冷やすことで疲労が回復したり、運動能力が上がる**効果が確認されている。

実際、ボクシング選手にこの装置を着用してもらったところ、「疲れが全然出ないので、トレーニングの効率が上がる」とのことだった。また、ある学生に着用後懸垂をしてもらったところ、普段よりも多くの回数をこなせ、筋肉も効率良く鍛えることができた。アメフトのチームではすでに応用しているところもある。

野球選手のパフォーマンス向上にも一役買えそうで、とくに東京ドームなど室温が高いところでは高い効果が期待できる。

肘下の血管を拡張させるだけでトレーニング効果が上がり、体力も温存できるので、スポーツ競技で秘密兵器になりそうだ。熱中症患者への応用も期待されている。

また、体を急速に温めることも可能なので、手術中の麻酔で急激に体温が下がった患者や、潜水後に体温が上がらなくなったダイバーへの応用も考えられている。

これほどまでに、手が体温にもつ影響力は大きいのだ。

世界のトップがやっている 超一流の仮眠術

脳が劇的に回復する「眠たい」チャンスタイム

ここで、最近よくいわれている「パワーナップ」（仮眠）についても書いておきたい。

サルの睡眠について調べてみると昼寝が多いことがわかる。

人間の場合は社会生活をしているので14～16時間連続して起きているのが普通だが、

種としてのヒトは、進化の過程で昼寝をとっていた可能性もある。

実際にスペインなどの国では、しっかり昼食をとったあとに睡眠をとる「シエスタ」と呼ばれる風習が浸透している地域がある。午後3時ごろになると、商店、企業、官公庁などの多くが休業時間をとるようだ。


ヒトの場合、前述のように14時ごろ眠くなるという実験結果が出ているが、**このアフタヌーンディップは、霊長類には避けられない睡眠パターン**なのかもしれない。

病的なレベルだと問題だが、多少覚醒水準が落ちたり、パフォーマンスが下がったりする程度なら自然な生理現象だ。つまり、ヒトであれば、眠気をさほど敵視する必要もないし、身の危険もないのである。


入眠にはさまざまな条件が必要だが、**「眠たい」ときは体温や脳の眠りの条件が整った数少ない瞬間**だから、実はチャンスタイムだ。

仮眠5分前に温かいものを持つなどの工夫をして手を温め、スムーズに深い仮眠に入れれば、眠気をこらえて起き続けるよりもパフォーマンスが上がるだろう。

「眠気＝排除すべきもの」という意識を、「眠気＝チャンス」とスイッチしてみる。
この発想の転換で、アフタヌーンディップも味方につけられるだろう。

超一流の「パワーナッピング」メソッド

Googleやナイキなどの勤務時間中に昼寝を推奨している西海岸の企業は、パワーナップの効果を知っているのだろう。また、仮眠用のスマホアプリも出ているようだ。

パワーナップの効果は実験データとしても表れている。

ここでまた、「タブレットの画面に丸い図形が出るたびにボタンを押す」実験に場面を移そう。

この実験では覚醒度をしっかりとらえられるよう、リアクションタイムを計っているわけだが、「13人の被験者で90時間近く連続で起きていたらどうなるか」という実験もしている。

起きている時間が長いほど、反応に時間がかかったり、ボタンを押し間違えたりする「反応ミス」がどんどん増えていく。この結果は想定内だが、**連続して起きてい**

図12　仮眠の効果はどれくらい?

タブレットに出現する図形への反応を計測

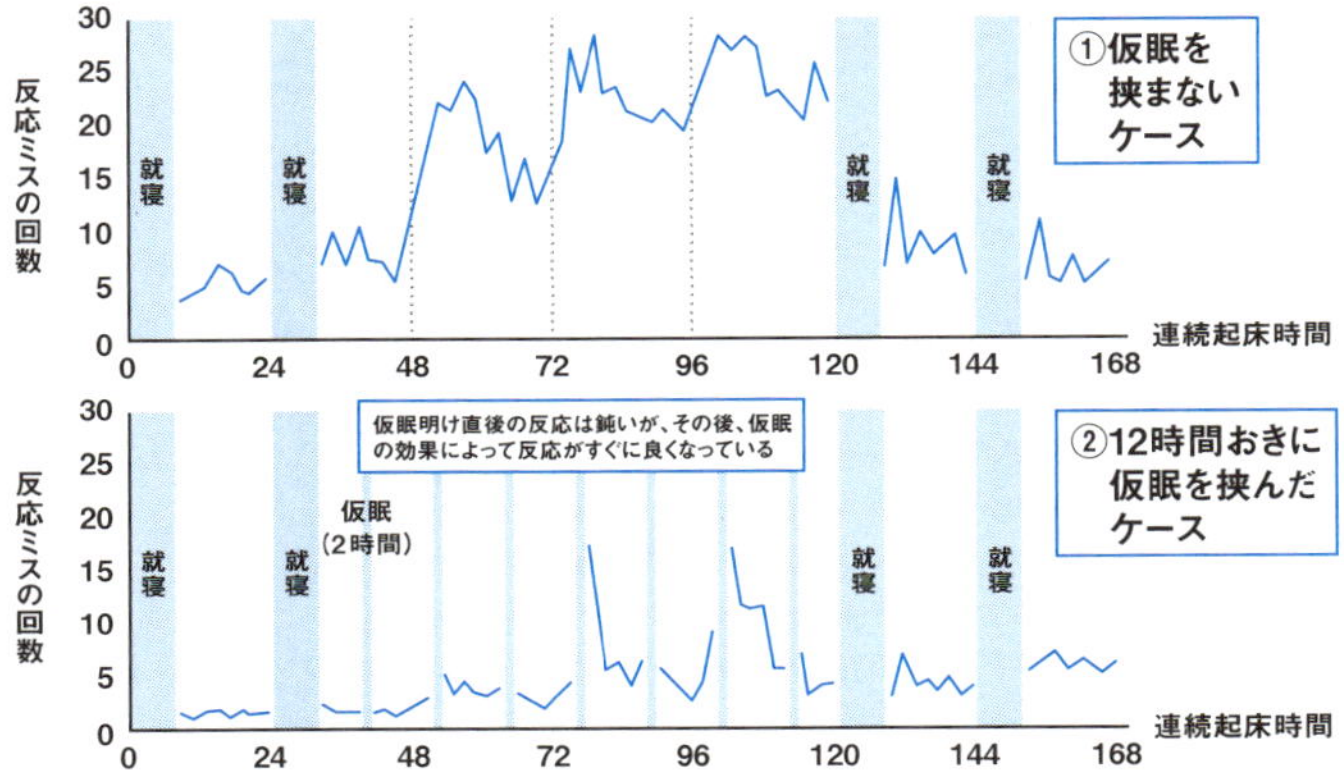

＊①と②は同じ被験者で計測した
＊反応に時間がかかったり、タブレットのタッチミスなどを「反応ミス」とした

「ちょっと寝る」だけで、脳のミスが大幅に減る!

る12時間おきに2時間、仮眠をとると（1日4時間）、ミスが減ることがわかった。ただし、4時間の仮眠で、反応時間を完全に正常化することはできなかった。

今回は12時間につき2時間の仮眠タイムを設けたが、これは一般的ではないだろう（これも、ビジネスパーソンに仮眠をおすすめしきれない理由のひとつ）。

だがご安心を。**「20分」程度の仮眠でも、ある程度リアクションタイムが回復する**ことがわかっている。

日本の会社が率先して昼寝ができる職場環境を整えるのは、まだ先の話かもしれないが、我慢に我慢を重ねて全体の効率が落ちるより、たった「20分の仮眠」でそのほかの時間、力を出せるようになるほうがはるかに良いとは思わないだろうか。

「ぐっすり昼寝」は脳にこんなに良くない!?

かように仮眠の効用はあるが、あくまでも「仮の眠り」という点に注意してほしい。

２０００年、日本の国立精神・神経医療研究センターの朝田隆氏、高橋清久氏らが高齢者３３７人のアルツハイマー患者とその配偶者２６０人の「昼寝の習慣と認知症発症リスク」についての解析をおこなった。

興味深いことに、**「30分未満の昼寝」をする人は「昼寝の習慣がない」人に比べて、認知症発症率が約7分の1**だった。また、「30分から1時間程度昼寝をする」人も、「昼寝の習慣がない」人に比べて発症率が約半分になることがわかったのだ。

これだけみると「昼寝は認知症を遠ざける」といえそうだが、話はそんなに単純ではない。なんと、**「1時間以上昼寝する」人は、「昼寝の習慣がない」人に比べて発症率が2倍も高かった**のである。

昼間にちょっと寝ようというとき、30分以上もぐっすり寝てしまうというのは、すでにアブノーマルな老化や疾患がある可能性もある。

そうでなくても、ビジネスパーソンが30分以上昼寝をするというのは、物理的に難しいうえ、集中力が低下したり、睡眠慣性による弊害（寝ぼけ）も起こしかねない。昼にぐっすり寝てしまうと、健康で若い人であっても、夜に睡眠圧が上がらず、スムーズに入眠できない可能性もある。もちろん、脳への影響も考えられる。

こうした要素を考えると、**「仮眠をとるなら20分程度」とするのが良さそう**だ。

「細切れ睡眠」ははたして有効か？

私はアメリカでは、キャンパスの隣の市から自転車で移動している。実はシリコンバレーでは今、交通渋滞が問題になっており、自転車で15分かからない通勤が、車だと1時間近くかかることもある。また、年間を通じて気温は安定していて湿度も低いので、束《つか》の間のサイクリングは非常に快適でもある。

日本だと電車通勤が多いと思うが、よく席に座って眠っている人を目にする。ちなみに**電車内の仮眠はたいていノンレム睡眠**だ。体がぴくぴくしたり眼球運動が出ない人のほうが多いだろう。座ったままの不安定な姿勢では、そう簡単にはレム睡眠は出てこないのだ。深い睡眠にいきなり入るので、目覚めは当然悪い。

日本で企業向けの講演などをすると、「朝晩の電車での細切れ睡眠は、睡眠不足解消に役立ちますか？」という質問を受ける。

結論からいうと、**連続して眠った6時間と、細切れで眠ったトータル6時間は質がまったく違う**。スリープサイクルが、細切れでは正しく現れないためだ。

いずれにせよ、電車の仮眠は睡眠の問題解決につながるのだろうか？

これこそまさに「better than nothing」だ。まったく寝ないよりも短い時間でも仮眠するほうがいいが、細切れ睡眠で完全に補完するのは不可能。あくまで補助的なものとしてとらえよう。

あらかじめ「家のベッドで4時間、朝夕の通勤で2時間、合計6時間睡眠だ」というようにパターン化するのは、苦肉の策としかいえない。

「電車で寝るから大丈夫」というのが日常的な人は、長期的なパフォーマンス低下や、体に悪影響を与える可能性も踏まえて、考えを変えるほうが良さそうだ。

ブルーマンデーを打破する「土日の睡眠法」

日曜日の夜になると「ああ、また月曜日が来る」と憂うつになる。

目が覚めても覚醒するどころか「もう月曜が来てしまった」と気が沈む。

いわゆる**「ブルーマンデー」**も、睡眠によってコントロールできる。

週末というオフタイムから月曜日というオンタイムにうまく切り替えられないのは、リズムの問題もある。金曜日に飲みに行き、土曜日は家族と出かけてという行動をしていたら、就寝時間が遅くなり、そのあおりを食らって起床時間も遅くなる。すると、後ろへとリズムがずれるうえに、睡眠の量も質も下がってしまうことに。

土日の朝、いつもより1~2時間多めに眠る（起床時間を後ろにずらす）くらいならとくに問題はないといえる。それは体が必要としている眠りだからだ。

実際、私も土曜日に少し多めに眠るようにしているのだが、あるとき懇意にしている隣人の老婦人のPCが壊れたことがあった。困っているらしく「土曜日の朝、一度みてあげてほしい」と妻から頼まれ、修理のため、いつもの土曜日より早めに起きた。しかし、体が欲する眠りがとれなかったからだろう、こんな些細《ささい》なことで翌週体調がすぐれなかった覚えがある。

週末は、「いつもどおり」を心がけよう。とくに、平日より少し多めに眠るとしても、**就寝時間はウイークデーと同じ**にするのがおすすめだ。

私たちの研究室でおこなう「ラボミーティング」は月曜日にセッティングしている。残念ながら会議室の空き具合の関係で午後1時開始だが、この会議室の予約状況を見てみると、ラボミーティングは月曜日に集中しており、しかも朝8時からぎっしり埋まっている。

医学部の臨床会議も「月曜朝7時」や「8時」が多い。「月曜朝7時出席」を2〜3年も続けていると、週末の生活パターンも当然変わってくる。

チーム運営に悩むリーダーなら、**月曜朝に会議を持ってくる**のもひとつの手だ。これだけで部門のパフォーマンスが格段に変わってくる。ただし、その分夜の長い会議や、仮眠を促す無駄な集まりは廃止したほうが賢明だろう。ミーティング自体もコンパクトにしたほうが、ブルーマンデーには効果的だ。

個人レベルであれば、**月曜日の午前中に重要なタスクを持ってくるなどして、ある程度強制力を働かせる**のも手だ。

また、管理職の人は部下の健康管理（とくにうつ病やアルコール依存症、不安神経症などの予防）のためにも、**「睡眠衛生の重要性」**を常に頭においてほしい。眠れていなさそうなら、「ちゃんと眠れているか？」と、一言声をかけるところから始めてほしい。うつ病などによる自殺（月曜日に多いといわれる）が深刻化しているが、**適切な睡眠マネジメントでかなりの改善を望むことができる**のだから。

人生の3分の1を変えれば、残りの3分の2も動き出す

睡眠にしかできない、これだけのこと

どんな科学的な治療でもできない脳や臓器のメンテナンスが、睡眠中だけできる。科学者や医者が何人集まってもできない体内リズムのバランス調節が、眠るだけで整う。

1章で紹介した睡眠の役割は、睡眠にしかできないことだ。このほかにも、まだわかっていない機能が睡眠にはあると考えられている。

ありふれた言葉になるが、睡眠にはいまだに「未知の領域」が多く、まさに、人体の不思議なのだ。

睡眠はすべての医学の基礎であり、高血圧、心臓疾患、認知症などさまざまな不調

にかかわりがあると考えられている。

整形外科から出発し、リハビリ、ケガの治療、予防がメインだった**スポーツ医学でも、今では「睡眠こそがすべての基礎である」という認識に変わりつつある**。

睡眠管理をすればパフォーマンスの向上はもちろんのこと、ケガや産業事故の予防にも大きな役割を果たす。リハビリ中に質の良い睡眠をとれば、回復が早くなることも十分考えられる。

アスリートは、試合という短い時間に最高のパフォーマンスをしなければならない。練習量は膨大だが、たいていの競技には年齢によるピークがあるため、人生の短い期間だ。

つまり、アスリートの場合は「練習と試合」というサイクルが、通常の仕事や学問に比べて極端に凝縮されているということだ。

私は睡眠の専門家としてアスリートとかかわることがあるが、彼らを見ていると、研究をする私や、多様な業界で働くビジネスパーソンの人生を凝縮したモデルのように感じられるときがある。「90分を1日に見立てる」実験のように、アスリートを知ることによって、一般の人の人生が短時間で観察できる気がしてくる。

短期間で成績を残さねばならない分、彼らは真剣に睡眠と向き合う。そして**眠りの力を認識し、力を入れて取り組んだ選手こそが一流になれる**ことは、研究データを見ても明らかである。

その「アスリートが睡眠を大切にしてパフォーマンスを上げている」ことは、「ビジネスパーソンが睡眠を大切にしてパフォーマンスを上げる」エビデンスになる、そんなことを考えたりもするのだ。

「最高のギフト」を受け取るとき

本書でお伝えしてきた睡眠の知識は、基礎から最新情報まで、日常に即した形で網羅したつもりである。

だが、睡眠についてわかっていることは、今もまだごく一部。

それが最新の情報が集まってくる、睡眠研究の「メッカ」とされるスタンフォードにいて、睡眠について30年以上研究を続けてきた今の、正直な実感である。

たとえば、夢についてはまだ解明されていない部分が多い。

過去のトラウマや日ごろ気になることがあったら、何度も夢に現れるのはなぜ？
繰り返し同じ夢を見る理由は？
夢が身体的、精神的な状況に影響を受ける理由は？
日中イヤなことがあれば、眠りがそれに左右されるのは本当か？
夢ではストーリーが途中でいきなり始まったり、断片的なのはなぜだろう？

奥深く、解明されていない未知の部分が多いのは、ロマンがある学問ともいえる。睡眠に限らず脳科学のほとんどは、いまだに人類最大のブラックボックスだ。だからこそ、可能性に満ちている。

あなたはすでに覚醒中、あらゆる努力や工夫をし、パフォーマンスを上げようとしているかもしれない。でも、それは人生の3分の2の部分の努力だ。

そもそも質の良い眠りができていないから睡眠の分断が起こり、睡眠の分断が原因で覚醒の分断が起こる。何度も繰り返しているとおり、覚醒と睡眠は2つで1つだ。

あなたが現状の仕事や生活に満足していないのであれば、手つかずの残りの3分の1を改善しよう。それが残りの3分の2にも良い影響をもたらすのであれば、まさにレバレッジの効果がある。デメント教授の言葉を借りれば、**睡眠は眠っている以外の人生においても「ギフト」**なのだ。

良い睡眠は、習慣にさえしてしまえば、さほど努力は要さない。いわば**夢を叶えるもっともシンプルな方法**だ。

正しい知識を身につけ、行動を変える。

さあ、ぐっすりと黄金の90分を眠ろう。

きっと、「果報は寝て待て」の言葉どおりとなる。

エピローグ　睡眠研究の最前線「スタンフォード」で見つけたこと

スタンフォードで睡眠と向き合って、早30年を超えた。その間、シリコンバレーは急発展し、交通量も急増。渋滞も深刻化してきたため、今自転車で大学に通勤していることは先にも書いた。かれこれ7年前から、このスタイルだ。

体を通る風を心地よく感じていたとき、ふと、横で何列にも広がって、じっと前進する機会をうかがっている車の大群が目に入った。

「この何百台と並ぶ車の中で、眠気を感じている人はどれくらいいるのだろう？」

「帰宅後、何人の人がぐっすり眠れるのだろう？」

「何の睡眠障害もなければいいのだが」と切に思うと同時に、排気ガスによる環境汚染が叫ばれている中、人間の睡眠環境も悪化の一途をたどっていることが頭をよぎる。

「睡眠で苦しむ人を救いたい」、私のこれまでの研究も、眠りのネガティブエフェクトを取り除くことに注力してきた。「睡眠の苦しみを取り除く」――これこそが私の使命であり、そしてスタンフォード睡眠研究所のスタイルである。

みんな患者予備軍？

睡眠障害は、国際診断基準だと80種類以上に分類される多種多様で複雑な疾患群である。不眠症、睡眠時無呼吸症候群などは頻度も多く、いってみれば、「誰もが睡眠障害予備軍」のようなところがある。

私の専門はナルコレプシーという原因不明の過眠症で、スタンフォードで１９８７年から30年にわたって研究を続けてきた。

ナルコレプシーは１４０年前に初めて文献に登場した、突然耐えがたい眠気に襲われるという不思議な病気だ。一時はヒステリーなどのように心理的な葛藤《かっとう》も原因ではないかと真剣に考えられた。

最後に、この私の研究について言及したい。

「興奮すると眠るイヌ」の発見

ナルコレプシーは過眠症状だけでなく、「情動脱力発作」や「金縛り発作」といったレム睡眠の異常を伴う。

金縛り発作は、睡眠・覚醒パターンが乱れると健康な人でも経験するが、情動脱力発作はナルコレプシー患者のみに出現する。これは、喜んだり笑ったりして興奮すると、突然全身の力が抜けて倒れ込んでしまう発作だ。

スタンフォードで睡眠研究所を設立したデメント教授は、1973年にエサをもらって興奮すると脱力するナルコレプシー犬を発見した。さらに、家族性（遺伝の影響が大きい）で脱力発作を示すドーベルマンとラブラドールのナルコレプシー犬も見つけ、スタンフォードで繁殖・飼育した。

これらの家族性ナルコレプシー犬は、両親が発症していると子どもも必ずナルコレプシーになるが、片親が健常だと子どもは発症しない。

つまり、これらのイヌでは、ナルコレプシーは常染色体の劣性遺伝であり、対になっている染色体の両方に変異があるとき、ナルコレプシーが出現するのだ。

私が渡米した翌年の1988年より、ナルコレプシー研究所所長のエマニュエル・ミニョー氏を中心に、ナルコレプシーの遺伝子の特定がグループの最重要プロジェクトとなった。この特定作業は本当に根気のいる仕事だった。そのころは今日と違ってイヌの遺伝子マップの情報もなく、プロジェクトに終わりが見えなかった。

足かけ10年、1999年に、これらのイヌではオレキシン（別名ヒポクレチン）という物質の受容体の遺伝子に変異があり、この受容体が機能しないとナルコレプシーになることを発見した。

一方、オレキシンを発見した柳沢正史氏のグループは、オレキシンをつくれないマウスがナルコレプシーを発症することを1999年に報告した。

これら2つのグループの、互いに補強しあうような発見はともに『Cell』誌に発表され、以降ナルコレプシー研究は飛躍的に進んだ。

ついにヒトでの発生源を突き止めた！

私たちの最終目的は「ヒトのナルコレプシーの解明」だ。

ヒトでのナルコレプシーは、約95％が孤発例（遺伝の影響が低い）で、残りの5％が家族性。家族性においても遺伝形式が判然とせず、複数の遺伝子の関与が推測される。

我々はイヌのナルコレプシー遺伝子特定中、世界中からハイリスク（遺伝による原因の高い）ナルコレプシー患者40家系分のDNAを集めて調査したが、イヌで見いだしたような遺伝子変異はきわめてまれだった。

こういった調査中、私は「脳脊髄液《せきずい》でオレキシンの測定ができる」ことも見つけ出した。スタンフォードでは孤発例のナルコレプシー犬も飼育しており、実際にそれらのイヌの脳脊髄液を調べると、髄液中のオレキシンがマウスの例のようになくなっていることを初めて発見できた。

ただちに、「ヒトの脳脊髄液でも調査を」と意気込んだのだが、ヒトでの実験を開始するには倫理委員会の承認が必要で、髄液採取の準備や患者集めにも時間がかかる。我々の計画がほかに漏れる危険性もあり、気持ちばかり焦る日々だった。

だが、運良くオランダからスタンフォードに留学していた研究者のおかげで、何とかオランダで被験者の脳脊髄液を採取できた。

そして調査の結果、予想したとおりヒトでも脳脊髄液中のオレキシンは異常に少なかった。

この結果を2000年1月にイギリスの『Lancet』誌に発表すると、うれしいことに、「2000年に発表された医学論文のなかで、もっともインパクトのある論文」として欧米で取り上げられたのである。

この発見により、ナルコレプシーの早期診断が可能になった。ナルコレプシーではすべての症状が一時期に現れないので、発症から診断・治療まで数年かかる事例が多かった。学業や、社会性の獲得に重要な思春期に発症することが多い病気なので、この診断法を確立できた成果は大きい。

スタンフォードの睡眠研究の使命

イヌのナルコレプシーでの原因遺伝子の発見。

人のナルコレプシーがオレキシン細胞の脱落で起こるという発見。

この2つは、睡眠についてのスタンフォードと私の大きな成果である。

「ナルコレプシーの患者は少ない」と言う人もいるし、たしかに2000人に1人程度の比較的まれな疾患ではある。

しかし、発症率は「パーキンソン病」や「多発性硬化症」などと同じだし、ナルコレプシー患者のQOLは著しく損なわれ、重度のうつ病などと比較される。

それに、睡眠疾患というブラックボックスの発見は、多くの精神疾患や神経疾患の原因解明にも必ず役立つ。

睡眠のメカニズムがより明らかになれば、まったく副作用のない睡眠薬もつくれるだろう。実際、オレキシンの機能を阻害する薬剤が、（ナルコレプシーのようにすぐ入眠できる）睡眠薬として開発され、日本でも2014年に認可された。

こうした可能性を今後も追求するとともに、あなたの睡眠と覚醒《かくせい》の「今」を変えるのも、自分の使命だと信じている。

睡眠医学は、人とその未来のための学問なのだから。

今日、こうしてまた私が研究できているのも、ひとえにSCNラボのメンバーのおかげだ。彼らの熱心な姿に、毎日本当に叡智《えいち》と活力をもらっている。とくに、酒井紀彰副所長に感謝申し上げたい。

また、留学の機会を与えていただいた当時の大阪医科大学学長（元京都大学医学部長）の早石修先生、大阪医科大学精神科教授の堺俊明先生には本当にお世話になった。何度、感謝の気持ちを伝えても、伝えきれない。

最後に、私たちからの提案で筆をおこうと思う。

睡眠を犠牲にして働くのはやめておこう。

とくに、あなたがクリエイティブな仕事をしたいのなら。

and distal temperature evaluations. Sleep 2013. 36 Abstract Supplement: p. A220.
・De Lecea, L., et al., *The hypocretins: Hypothalamus-specific peptides with neuroexcitatory activity.* Proc Natl Acad Sci USA, 1998. 95(1): p. 322-327.
・Sakurai, T., et al., *Orexins and orexin receptors: a family of hypothalamic neuropeptides and G protein-coupled receptors that regulate feeding behavior.* Cell, 1998. 92(4): p. 573-585.
・Dantz, B., D.M. Edgar, and W.C. Dement, *Circadian rhythms in narcolepsy: studies on a 90 minute day.* Electroencephalogr Clin Neurophysiol, 1994. 90(1): p. 24-35.（図11の関連データ）
・Lavie, P., *Ultrashort sleep-waking schedule. III. 'Gates' and 'forbidden zones' for sleep.* Electroencephalogr Clin Neurophysiol, 1986. 63(5): p. 414-25.

4章　超究極！　熟眠をもたらすスタンフォード覚醒戦略

・Adamantidis, A.R., et al., *Neural substrates of awakening probed with optogenetic control of hypocretin neurons.* Nature, 2007. 450(7168): p. 420-4.
・Anegawa, E., et al., *Chronic powder diet after weaning induces sleep, behavioral, neuroanatomical, and neurophysiological changes in mice.* PLoS One, 2015. 10(12): p. e0143909.
・Yamaguchi, Y., et al., *Mice genetically deficient in vasopressin V1a and V1b receptors are resistant to jet lag.* Science, 2013. 342(6154): p. 85-90.

5章　「眠気」を制する者が人生を制す

・Horne, J., C. Anderson, and C. Platten, *Sleep extension versus nap or coffee, within the context of 'sleep debt'.* J Sleep Res, 2008. 17(4): p. 432-6.
・Van Dongen, H.P. and D.F. Dinges, *Sleep, circadian rhythms, and psychomotor vigilance.* Clin Sports Med, 2005. 24(2): p. 237-49, vii-viii.（図12の関連データ）

エピローグ　睡眠研究の最前線「スタンフォード」で見つけたこと

・Nishino, S. and E. Mignot, *Narcolepsy and cataplexy.* Handbook of Clinical Neurology, 2011. 99: p. 783-814.
・Lin, L., et al., *The sleep disorder canine narcolepsy is caused by a mutation in the hypocretin (orexin) receptor 2 gene.* Cell, 1999. 98(3): p. 365-76.
・Chemelli, R.M., et al., *Narcolepsy in orexin knockout mice: molecular genetics of sleep regulation.* Cell, 1999. 98(4): p. 437-451.
・Peyron, C., et al., *A mutation in a case of early onset narcolepsy and a generalized absence of hypocretin peptides in human narcoleptic brains.* Nat Med, 2000. 6(9): p. 991-7.
・Nishino, S., et al., *Hypocretin (orexin) deficiency in human narcolepsy.* Lancet, 2000. 355(9197): p. 39-40.

本書では主要参考資料のみを紹介させていただきました。

完全版はこちらのサイトからダウンロードできます。http://www.sunmark.co.jp/book_files/pdf/stanford.pdf

主要参考資料一覧

資料は基本的に、資料執筆者（姓、ミドルネーム・名のイニシャル、4名以上の場合はet al.として第一執筆者のみ記載）、資料名（斜字）、資料掲載誌名（略称可）、年、巻（号）、該当ページ（表示形式は掲載誌にのっとる）の順で記載。

プロローグ　「ぐっすり」を追求した究極のスタンフォード・メソッド

・Dement, W.C., *History of sleep medicine*. Neurol Clin, 2005. 23(4): p. 945-65, v.

0章　「よく寝る」だけでパフォーマンスは上がらない

・Saxena, A.D. and C.F. George, *Sleep and motor performance in on-call internal medicine residents.* Sleep, 2005. 28(11): p. 1386-91.（図1の関連データ）

・Bannai, M., M. Kaneko, and S. Nishino, *Sleep duration and sleep surroundings in office workers-comparative analysis in Tokyo, New York, Shanghai, Paris and Stockholm.* Sleep Biol Rhythms, 2011. 9(4): p. 395.（図2の関連データ）

・He, Y., et al., *The transcriptional repressor DEC2 regulates sleep length in mammals.* Science, 2009. 325(5942): p. 866-870.

・Kripke, D.F., et al., *Mortality associated with sleep duration and insomnia.* Arch Gen Psychiatry, 2002. 59(2): p. 131-6.（図3の関連データ）

・Kang, J.E., et al., *Amyloid-β dynamics are regulated by orexin and the sleep-wake cycle.* Science, 2009. 326(5955): p. 1005-7.

・Mah, C.D., et al., *The effects of sleep extension on the athletic performance of collegiate basketball players.* Sleep, 2011. 34(7): p. 943-50.

・Dement, W.C., *Sleep extension: getting as much extra sleep as possible.* Clin Sports Med, 2005. 24(2): p. 251-68, viii.（図4の関連データ）

・Nishino, S., et al., *The neurobiology of sleep in relation to mental illness,* in *Neurobiology of Mental Illness.* N.E. Charney D.S. Editor, Oxford University Press: New York, 2004 p. 1160-1179.（図5の関連データ）

・Takahashi, Y., D.M. Kipnis, and W.H. Daughaday, *Growth hormone secretion during sleep*. J Clin Invest, 1968. 47(9): p. 2079-90.

1章　なぜ人は「人生の3分の1」も眠るのか

・Spiegel, K., J.F. Sheridan, and E. Van Cauter, *Effect of sleep deprivation on response to immunization.* JAMA, 2002. 288(12): p. 1471-2.

・Iliff, J.J., et al., *A paravascular pathway facilitates CSF flow through the brain parenchyma and the clearance of interstitial solutes, including amyloid β*. Sci Transl Med, 2012. 4(147): p. 147ra111.

・He, J., et al., *Mortality and apnea index in obstructive sleep apnea. Experience in 385 male patients.* Chest, 1988. 94(1): p. 9-14.

2章　夜に秘められた「黄金の90分」の法則

・Kräuchi, K., et al., *Warm feet promote the rapid onset of sleep.* Nature, 1999. 401(6748): p. 36-7.（図9の関連データ）

3章　スタンフォード式 最高の睡眠法

・Ito, S.U., et al., *Sleep facilitation by artificial carbonated bathing; EEG, core, proximal,*

西野精治（にしの・せいじ）

スタンフォード大学医学部精神科教授　同大学睡眠生体リズム研究所（SCNlab）所長

株式会社ブレインスリープ　最高経営責任者（CEO）最高医療責任者（CMO）

医師、医学博士、日本睡眠学会認定医　精神保健指定医　産業医

1955年大阪府出身。大阪医科大学卒業。大阪医科大学大学院卒業。

1987年スタンフォード大学精神科睡眠研究所に留学。

当然眠りに落ちてしまう過眠症ナルコレプシーの原因究明に全力を注ぐ。

1999年イヌの家族性ナルコレプシーにおける原因遺伝子を発見し、翌年2000年グループの中心としてヒトのナルコレプシーの主たる発生メカニズムを突き止めた。

2005年SCNlabの所長に就任。2007年より現職。睡眠、覚醒のメカニズムを分子、遺伝子レベルから個体レベルまでの幅広い視野で研究している。

また、睡眠の新しいセンシングや解析方法の開発のため、医歯薬、獣医学部出身のみならず工学部出身の研究者も大学、企業の研究室から多数在籍している。

SCNlabの同窓（OB・OG）は学閥をこえ、北海道から沖縄におよび、50名を超える。繋がりが強く、定期的に集っている。

未来を担う子どもの教育に関心があり、母校の大阪教育大学附属高等学校天王寺校の北米支部同窓会会長も務めている。

スタンフォード式 最高の睡眠

2017年3月5日 初版発行
2020年7月30日 第34刷発行

著 者 西野精治

発行人 植木宣隆

発行所 株式会社サンマーク出版
東京都新宿区高田馬場2−16−11
電話 03−5272−3166

印刷 中央精版印刷株式会社

製本 株式会社若林製本工場

ISBN978-4-7631-3601-5 C0030
ホームページ http://www.sunmark.co.jp